TsunamiSystems

A NEW WAVE OF IDEAS

LEARN 101 VERBS IN 1 DAY

BY RORY RYDER

ILLUSTRATIONS

FRANCISCO GARNICA

Published by

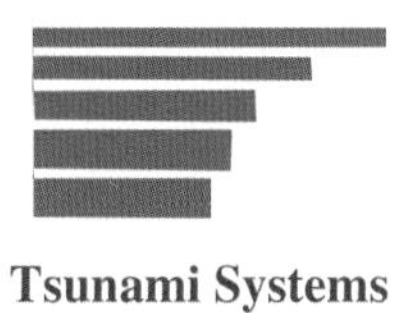

Tsunami Systems

Published by

Tsunami Systems S.L.

Barcelona, Spain

First published by Tsunami Systems S.L. 2004
Copyright © Rory Ryder 2004
Copyright © Illustrations Rory Ryder 2004
Copyright © Coloured verb tables Rory Ryder 2004

The Author asserts the moral right to be identified as the author of this work under the copyright designs and patents Act 1988.

ISBN 84-607-9637-X

Illustrated by Francisco Garnica
Compiled by J.A.Knowles

Printed and bound by
FILABO S.A.
Poligono Industrial Fontsanta
C/ Vallespir, 20
08970 SANT JOAN DESPI (Barcelona)

All rights reserved. No part of this publication may be reproduced, stored in a retrieval system, or transmitted, in any form or by any means, electronic, mechanical, photocopying, recording or otherwise, without the prior permission of the publishers.

This book is sold subject to the condition that it shall not, by way of trade or otherwise, be lent, resold, hired out or otherwise circulated without the publisher's prior consent in any form of binding or cover other than that in which it is published and without a similar condition including this condition being imposed on the subsequent purchaser.

ALL RIGHTS RESERVED WORLDWIDE

To Barcelona

Beber

Sujeto	Presente de ind.	Imperfecto de ind.	Pretérito	Futuro	Condicional Simple	Perfecto de ind.
Yo	Bebo	Bebía	Bebí	Beberé	Bebería	He bebido
Tú	Bebes	Bebías	Bebiste	Beberás	Beberías	Has bebido
Él / Ella	Bebe	Bebía	Bebió	Beberá	Bebería	Ha bebido
Nosotros	Bebemos	Bebíamos	Bebimos	Beberemos	Beberíamos	Hemos bebido
Vosotros	Bebéis	Bebíais	Bebisteis	Beberéis	Beberíais	Habéis bebido
Ellos / Ellas	Beben	Bebían	Bebieron	Beberán	Beberían	Han bebido

To drink

Subject	Present Simple or Continuous	Past Simple or Continuous	Past Simple	Future	Conditional	Present perfect
I	drink or am drinking	was drinking or used to drink or drank	drank or did drink	will drink	would drink	have drunk
You	drink or are drinking	were drinking or used to drink or drank	drank or did drink	will drink	would drink	have drunk
He/She/It	drinks or is drinking	was drinking or used to drink or drank	drank or did drink	will drink	would drink	has drunk
We	drink or are drinking	are drinking or used to drink or drank	drank or did drink	will drink	would drink	have drunk
You	drink or are drinking	were drinking or used to drink or drank	drank or did drink	will drink	would drink	have drunk
They	drink or are drinking	were drinking or used to drink or drank	drank or did drink	will drink	would drink	have drunk

Introduction

When someone can't remember a verb, it does not mean they have totally forgotten it. It just means the person can't recall it at that particular moment. This book is designed to help people recall instantly the verb and its conjugations.

'LEARN 101 VERBS IN 1 DAY' represents a revolutionary approach to learning a new language in that it focuses on the 'key' verbs and presents them in a way that helps you remember more quickly than more traditional methods. Most grammar books today still depend on long, complicated explanations and exercises. However, this book, with its use of attractive illustrations and coloured individual tenses makes learning the verbs a fun and rewarding experience. It will also save learners valuable time and give them more confidence to start speaking the language.

Research has shown that one of the most effective ways to remember something is by association. The way the verb, i.e. the **key-word,** has been placed in each illustration to act as a retrieval cue stimulates long-term memory far more efficiently than just passively reading and responding to a list of verbs.

To make the most of this book, spend time with each picture so that you are familiar with everything that is happening. We have called the infinitive the '**key-word**' because by knowing and visualising this **key-word**, it is very easy to remember the 36 ways it can be used. Once you have located the verb, and made the connection with the illustration, you can start to learn each colour (tense).

The light-hearted manner in which the book is presented ensures that you will find it a revolutionary step forward in learning a new language. Although **'LEARN 101 VERBS IN 1 DAY'** can be used as a self-study book, for pronunciation purposes, we recommend that it be used as part of a teacher-led course.

A fun way to enjoy this book is to cover a colour and test your self. Repeat this as many times as you need to feel comfortable. Invite friends and family to join in the fun!

Once you are confident with each colour (tense), congratulate yourself because you will have mastered over **3600** verb forms, an achievement you should be proud of!!!

Introducción

Cuando alguien no puede acordarse de un verbo eso no quiere decir que lo ha olvidado completamente. Solo que a esa persona no se le ocurre la palabra en ese momento. Este libro está desarrollado para ayudar a las personas a recordar instantáneamente el verbo y sus conjugaciones.

'LEARN 101 VERBS IN 1 DAY' es una manera revolucionaria de aprender un idioma nuevo que, utilizando **palabras clave** las presenta de un modo que le hace más fácil memorizar los verbos que con los métodos tradicionales. La mayoria de los libros de gramática estan todavia basados en largas y complicadas explicaciones y ejercicios. Este libro en cambio, con sus ilustraciones y tablas de colores, hará de la tarea de aprender una experiencia divertida y gratificante. Además de ahorrar tiempo al que estudia le dará más confianza a la hora de empezar a hablar el nuevo idioma.

Estudios han demostrado, que el método más efectivo para aprender es por asociaciones. La manera como la **palabra clave** está integrada en cada dibujo, facilita la memorización. La ilustración actúa como un objeto asociativo que estimula la memoria con más efectividad que solo con la lectura.

Para sacar más provecho de este libro, concéntrese en cada ilustración el tiempo necesario para familiarizarse con toda la acción que esta pasando. Hemos llamado la forma infinitiva de "**palabra clave**", porque después de visualizar y aprender esta palabra será muy fácil acordarse de las 36 otras formas en que también puede ser utilizada. Después de haber localizado el verbo y haber hecho la conexión con la ilustración, podrá empezar a aprender cada color y su conjugación correspondiente.

La sencilla presentación de este libro le asegurará un método revolucionario de aprender un nuevo idioma. **'LEARN 101 VERBS IN 1 DAY'** puede ser utilizado para aprender por si mismo, pero para la pronunciación, le recomendamos la ayuda de un profesor.

Una manera divertida de disfrutar de este libro es cubriendo una tabla de colores y compobrarlo usted mismo. Repita cuantas veces crea necesaria hasta sentirse confiado. Invite a sus amigos y familia para disfrutarlo también!

Una vez que esté seguro de saber cada color, podrá usted sentirse orgulloso de haber logrado memorizar **3600** conjugaciones, enhorabuena!

Introduzione

Quando qualcuno non si recorda un verbo, questo non vuol dire che lo ha dimenticato completamente. Significa invece chc non riesce a ricordare quella parola in quel momento esatto. Questo libro ha lo scopo di aiutare a ricordare quel verbo e la sua coniugazione istantaneamente.

"LEARN 101 VERBS IN 1 DAY" rappresenta un metodo rivoluzionario di imparare una lingua nuova. Esso si basa sui verbi più importanti che sono qui presentati in modo tale da aiutare a ricordare le parole più velocemente che utilizzando metodi tradizionali. La maggioranza dei libri di grammatica attuali sono ancora basati su spiegazioni ed esercizi lunghi e complicati, mentre questo libro, grazie all'uso di illustrazioni e colori diversi per ogni tempo verbale, rende l'apprendimento dei verbi un' esperienza divertente e gratificante. Con questo libro lo studente risparmiera' tempo ed acquisira' una maggiore sicurezza nell' iniziare a parlare una nuova lingua.

Varie ricerche hanno dimostrato che uno dei metodi più efficaci per ricordare una parola è collegarla con ad cosa o ad un' idea. Nel libro, il verbo rappresenta la parola più importante ed è inserito in ogni figura in modo da stimolare la memoria. Questo metodo e' motlo più efficace che una lettura passiva.

Per trarre il massimo risultato da questo libro, concentrati su ogni illustrazione per familiarizzarti con ciò che sta succedendo. Abbiamo chiamato il tempo all'infinito "**key-word**" perche una volta visualizzato ed imparato, è molto facile ricordare i 36 modi che possono essere usati. Dopo che lo studente ha localizzato il verbo e lo ha collegato con la figura, puo' iniziare ad imparare i tempi, ognuno classificato con un colore diverso.

La forma divertente in cui questo libro è presentato rivoluzionera' il modo di studiare le lingue. Anche se "**LEARN 101 VERBS IN 1 DAY**" puo' essere utilizzato come testo di auto-apprendimento, per ciò che riguarda la pronuncia, si raccomanda di usarlo nell'ambito di un corso.

Un modo divertente di imparare con questo libro è coprire un colore e indovinare il tempo corretto. Sara' necessario ripetere questo esercizio fino a raggiungere una sufficiente dimestichezza.

Quando lo studente avra imparato tutti i colori (tempi), potra' sentirsi orgoglioso perche' avra' memorizzato più di **3600** coniugazioni, complimenti!

Vorwort

Wer sich an ein bestimmtes Verb nicht erinnert, hat das Wort nicht völlig vergessen. Er erinnert sich nur in diesem speziellen Moment nicht daran. Vorliegendes Buch soll dabei helfen, Verben und ihre Konjugationen spontan und auf Abruf in Erinnerung zu rufen.

„ **LEARN 101 VERBS IN 1 DAY** “ eröffnet eine revolutionäre Methode neue Sprachen zu erlernen. Durch Konzentration auf die „Schlüsselverben“ wird dem Gehirn auf die Sprünge geholfen. Die meisten Grammatikbücher bauen immer noch auf langwierige und schwierige Übungen. Wir dagegen wollen das Lernen von Verben zu einer angenehmen und lohnenden Erfahrung machen - Illustrationen und farbig markierte Sätze wirken unterstützend. So spart der Sprachschüler viel Zeit und erhält das nötige Selbstvertrauen, um mit dem Sprechen der fremden Sprache zu beginnen.

Studien haben ergeben, dass Assoziationen die effektivste Art ist, sich zu erinnern. Wenn ein Verb, insbesondere ein **Schlüsselwort**, mit einem Bild verknüpft wird, regt dies das Langzeitgedächtnis wesentlich wirkungsvoller an, als es das passive Lesen von Vokabeln jemals kann.

Den besten Erfolg hat derjenige, der die Bilder lange betrachtet und die Details sieht. Wir haben den Infinitiv zum **Schlüsselwort** gemacht. Denn wer das **Schlüsselwort** kennt und visualisieren kann, erinnert sich gleich ohne Mühe an die 36 Möglichkeiten seiner Verwendung. Wenn Sie das Verb ausfindig gemacht haben, und es mit einem Bild in Verbindung gebracht haben, können sie auch beginnen, die farbigen Sätze zu lernen.

Die heitere Herangehensweise in „ **LEARN 101 VERBS IN 1 DAY** “ ist eine revolutionäre Variante eine neue Sprache zu lernen. Obwohl das Buch für das Selbststudium geeignet ist, empfehlen wir es wegen der Aussprache der Vokabeln als Ergänzung zum Sprachkurs.

Eine lustige Möglichkeit sich selbst zu testen, ist eine Farbe abzudecken. Wiederholen Sie diese Übung, bis Sie sich sicher fühlen. Bitten Sie Freunde und Familie in den Lern-Spaß einzusteigen.

Wenn Sie den Punkt erreicht haben jede Farbe zu können, dürfen Sie sich selbst gratulieren. Dann haben Sie bereits über **3600** Verbformen gelernt, eine Leistung. auf die Sie stolz sein können!

Introduction

Lorsque quelqu'un ne se rappelle pas d'un verbe, cela ne veut pas dire qu'il l'a complètement oublié, mais simplement qu'il ne lui vient pas à l'esprit à ce moment précis. Ce livre est conçu pour aider les étudiants à se rappeler du verbe et de sa conjugation instantanément.

'LEARN 101 VERBS IN 1 DAY' représente une approche révolutionnaire dans l'apprentissage d'une langue étrangère. Il se concentre sur les verbes "clés" et les présente de façon à aider l'étudiant à s'en rappeler plus rapidement qu'une méthode traditionnelle. La plupart des livres de grammaire aujourd'hui sont encore basés sur des exercices et sur des explications longues et compliquées. En revanche, ce livre, en utilisant des illustrations attrayantes et les temps de différentes couleurs fait de l'apprentissage des verbes une expérience amusante et satisfaisante. Il fera aussi gagner un temps précieux aux étudiants et il leur donnera plus de confiance pour commencer à parler la langue.

La recherche montre que l'apprentissage par association est l'une des manières les plus efficaces de retenir des informations. La façon dont le verbe, c'est à dire le **mot-clé** a été placé dans chaque image pour servir de "signal" stimule la mémoire à long-terme de façon beaucoup plus percutante que la lecture passive d'une liste de verbe.

Pour bénéficier complètement de ce livre, passez du temps avec chaque image pour assimiler chaque scène et tout ce qui s'y passe. Nous avons appelé l'infinitif le **mot-clé** car en connaissant et en visualisant ce **mot-clé**, il devient très facile de se rappeler des 36 manières de l'utiliser. Une fois que vous avez localisé le verbe et fait le rapport avec chaque illustration, vous pouvez commencer à apprendre chaque couleur (temps).

Grâce à la manière dont ce livre est présenté, vous vous rendrez vite compte qu'il représente un pas en avant dans le milieu de l'apprentissage des langues étrangères. Même si **'LEARN 101 VERBS IN 1 DAY'** peut être utilisé comme un livre pour étudier seul, pour des raisons de prononciation, nous vous recommendons de l'utiliser comme composant d'un cours mené par un professeur.

Une façon amusante d e profiter de ce livre est de couvrir une couleur et de vous tester. Répétez ce procédé autant de fois que vous en avez besoin pour vous sentir à l'aise. Invitez vos amis et votre famille à participer!

Une fois que vous serez en confiance avec chaque couleur (temps), félicitez-vous parce que vous maîtriserez plus de **3600** formes, une réussite dont vous devriez être fier!!

Dirigir

Sujeto	Presente de ind.	Imperfecto de ind.	Pretérito	Futuro	Condicional Simple	Perfecto de ind.
Yo	Dirijo	Dirigía	Dirigí	Dirigiré	Dirigiría	He dirigido
Tú	Diriges	Dirigías	Dirigiste	Dirigirás	Dirigirías	Has dirigidc
Él / Ella	Dirige	Dirigía	Dirigió	Dirigirá	Dirigiría	Ha dirigido
Nosotros	Dirigimos	Dirigíamos	Dirigimos	Dirigiremos	Dirigiríamos	Hemos dirigido
Vosotros	Dirigís	Dirigíais	Dirigisteis	Dirigiréis	Dirigiríais	Habéis dirigido
Ellos	Dirigen	Dirigían	Dirigieron	Dirigirán	Dirigirían	Han dirigidc

DIRIGIR

Tener

Sujeto	Presente de ind.	Imperfecto de ind.	Pretérito	Futuro	Condicional Simple	Perfecto de ind.
Yo	Tengo	Tenía	Tuve	Tendré	Tendría	He tenido
Tú	Tienes	Tenías	Tuviste	Tendrás	Tendrías	Has tenido
Él / Ella	Tiene	Tenía	Tuvo	Tendrá	Tendría	Ha tenido
Nosotros	Tenemos	Teníamos	Tuvimos	Tendremos	Tendríamos	Hemos tenido
Vosotros	Tenéis	Teníais	Tuvisteis	Tendréis	Tendríais	Habéis tenido
Ellos	Tienen	Tenían	Tuvieron	Tendrán	Tendrían	Han tenido

ejem~
TENER

Querer

Sujeto	Presente de ind.	Imperfecto de ind.	Pretérito	Futuro	Condicional Simple	Perfecto de ind.
Yo	Quiero	Quería	Quise	Querré	Querría	He querido
Tú	Quieres	Querías	Quisiste	Querrás	Querrías	Has querido
Él / Ella	Quiere	Quería	Quiso	Querrá	Querría	Ha querido
Nosotros	Queremos	Queríamos	Quisimos	Querremos	Querríamos	Hemos querido
Vosotros	Queréis	Queríais	Quisisteis	Querréis	Querríais	Habéis querido
Ellos	Quieren	Querían	Quisieron	Querrán	Querrían	Han querido

GARNICA
QUERER

Poder

Sujeto	Presente de ind.	Imperfecto de ind.	Pretérito	Futuro	Condicional Simple	Perfecto de ind.
Yo	Puedo	Podía	Pude	Podré	Podría	He podido
Tú	Puedes	Podías	Pudiste	Podrás	Podrías	Has podido
Él / Ella	Puede	Podía	Pudo	Podrá	Podría	Ha podido
Nosotros	Podemos	Podíamos	Pudimos	Podremos	Podríamos	Hemos podido
Vosotros	Podéis	Podíais	Pudisteis	Podréis	Podríais	Habéis podido
Ellos	Pueden	Podían	Pudieron	Podrán	Podrían	Han podido

PODER

Crear

Sujeto	Presente de ind.	Imperfecto de ind.	Pretérito	Futuro	Condicional Simple	Perfecto de ind.
Yo	Creo	Creaba	Creé	Crearé	Crearía	He creado
Tú	Creas	Creabas	Creaste	Crearás	Crearías	Has creado
Él / Ella	Crea	Creaba	Creó	Creará	Crearía	Ha creado
Nosotros	Creamos	Creábamos	Creamos	Crearamos	Crearíamos	Hemos creado
Vosotros	Creáis	Creabais	Creasteis	Crearáis	Crearíais	Habéis creado
Ellos	Crean	Creaban	Crearon	Crearán	Crearían	Han creado

Pintar

Sujeto	Presente de ind.	Imperfecto de ind.	Pretérito	Futuro	Condicional Simple	Perfecto de ind.
Yo	Pinto	Pintaba	Pinté	Pintaré	Pintaría	He pintado
Tú	Pintas	Pintabas	Pintaste	Pintarás	Pintarías	Has pintado
Él / Ella	Pinta	Pintaba	Pintó	Pintará	Pintaría	Ha pintado
Nosotros	Pintamos	Pintábamos	Pintamos	Pintaremos	Pintaríamos	Hemos pintado
Vosotros	Pintáis	Pintabais	Pintasteis	Pintaréis	Pintaríais	Habéis pintado
Ellos	Pintan	Pintaban	Pintaron	Pintarán	Pintarían	Han pintado

PINT

Bailar

Sujeto	Presente de ind.	Imperfecto de ind.	Pretérito	Futuro	Condicional Simple	Perfecto de ind.
Yo	Bailo	Bailaba	Bailé	Bailaré	Bailaría	He bailado
Tú	Bailas	Bailabas	Bailaste	Bailarás	Bailarías	Has bailado
Él / Ella	Baila	Bailaba	Bailó	Bailará	Bailaría	Ha bailado
Nosotros	Bailamos	Bailábamos	Bailamos	Bailaremos	Bailaríamos	Hemos bailado
Vosotros	Bailáis	Bailabais	Bailasteis	Bailaréis	Bailaríais	Habéis bailado
Ellos	Bailan	Bailaban	Bailaron	Bailarán	Bailarían	Han bailado

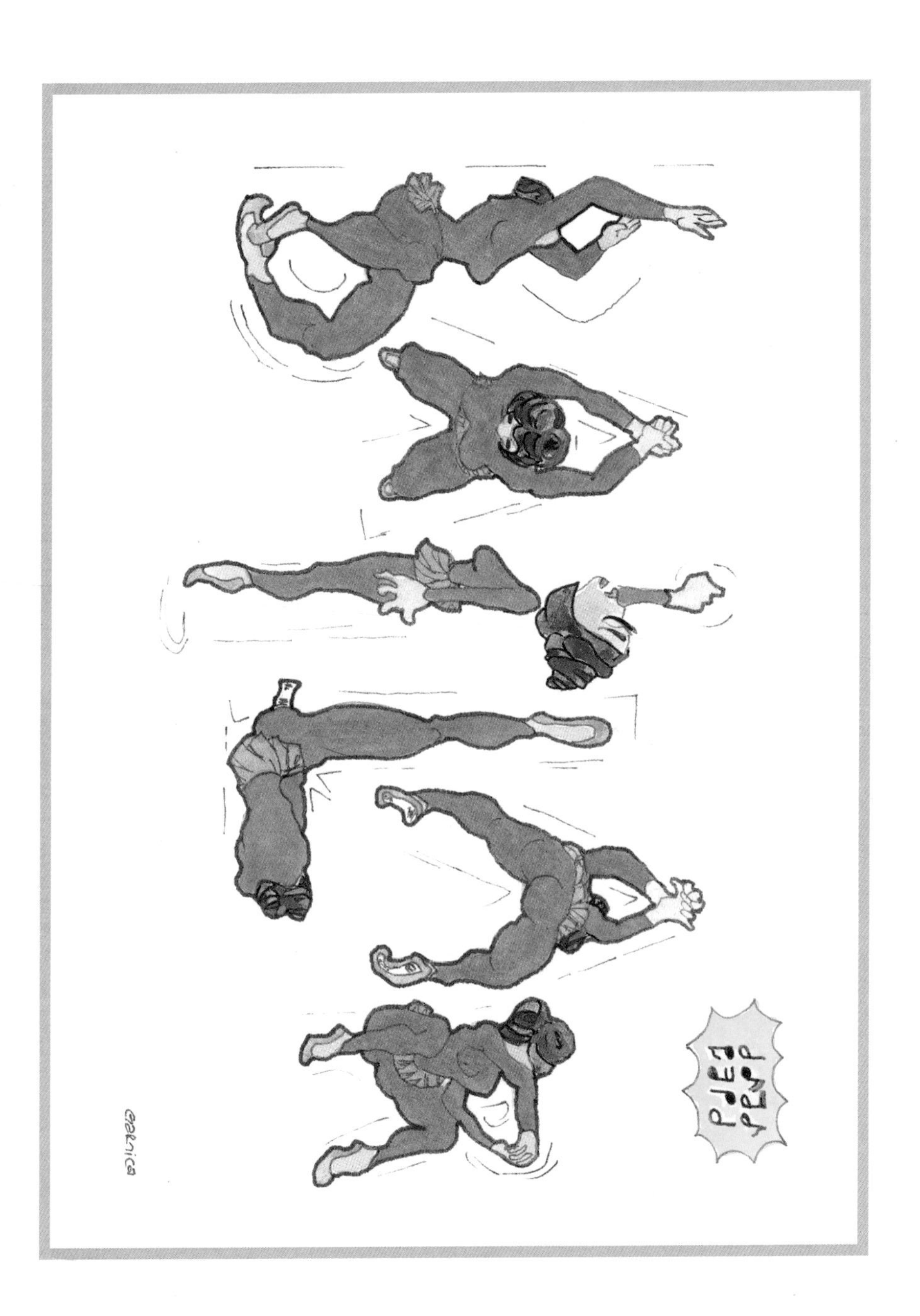

Fumar

Sujeto	Presente de ind.	Imperfecto de ind.	Pretérito	Futuro	Condicional Simple	Perfecto de ind.
Yo	Fumo	Fumaba	Fumé	Fumaré	Fumaría	He fumado
Tú	Fumas	Fumabas	Fumaste	Fumarás	Fumarías	Has fumado
Él / Ella	Fuma	Fumaba	Fumó	Fumará	Fumaría	Ha fumado
Nosotros	Fumamos	Fumábamos	Fumamos	Fumaremos	Fumaríamos	Hemos fumado
Vosotros	Fumáis	Fumabais	Fumasteis	Fumaréis	Fumaríais	Habéis fumado
Ellos	Fuman	Fumaban	Fumaron	Fumarán	Fumarían	Han fumado

GARNICA
Fumar

Dejar

Sujeto	Presente de ind.	Imperfecto de ind.	Pretérito	Futuro	Condicional Simple	Perfecto de ind.
Yo	Dejo	Dejaba	Dejé	Dejaré	Dejaría	He dejado
Tú	Dejas	Dejabas	Dejaste	Dejarás	Dejarías	Has dejado
Él / Ella	Deja	Dejaba	Dejó	Dejará	Dejaría	Ha dejado
Nosotros	Dejamos	Dejábamos	Dejamos	Dejaremos	Dejaríamos	Hemos dejado
Vosotros	Dejáis	Dejabais	Dejasteis	Dejaréis	Dejaríais	Habéis dejado
Ellos	Dejan	Dejaban	Dejaron	Dejarán	Dejarían	Han dejado

DEJAR
DEJAR

Encontrar

Sujeto	Presente de ind.	Imperfecto de ind.	Pretérito	Futuro	Condicional Simple	Perfecto de ind.
Yo	Encuentro	Encontraba	Encontré	Encontraré	Encontraría	He encontrado
Tú	Encuentras	Encontrabas	Encontraste	Encontrarás	Encontrarías	Has encontrado
Él / Ella	Encuentra	Encontraba	Encontró	Encontrará	Encontraría	Ha encontrado
Nosotros	Encontramos	Encontrábamos	Encontramos	Encontraremos	Encontraríamos	Hemos encontrado
Vosotros	Encontráis	Encontrabais	Encontrasteis	Encontraréis	Encontraríais	Habéis encontrado
Ellos	Encuentran	Encontraban	Encontraron	Encontrarán	Encontrarían	Han encontrado

ENCONTRAR

Crecer

Sujeto	Presente de ind.	Imperfecto de ind.	Pretérito	Futuro	Condicional Simple	Perfecto de ind.
Yo	Crezco	Crecía	Crecí	Creceré	Crecería	He crecido
Tú	Creces	Crecías	Creciste	Crecerás	Crecerías	Has crecido
Él / Ella	Crece	Crecía	Creció	Crecerá	Crecería	Ha crecido
Nosotros	Crecemos	Crecíamos	Crecimos	Creceremos	Creceríamos	Hemos crecido
Vosotros	Crecéis	Crecíais	Crecisteis	Creceréis	Creceríais	Habéis crecido
Ellos	Crecen	Crecían	Crecieron	Crecerán	Crecerían	Han crecido

TOBIAS

Traer

Sujeto	Presente de ind.	Imperfecto de ind.	Pretérito	Futuro	Condicional Simple	Perfecto de ind.
Yo	Traigo	Traía	Traje	Traeré	Traería	He traído
Tú	Traes	Traías	Trajiste	Traerás	Traerías	Has traído
Él / Ella	Trae	Traía	Trajo	Traerá	Traería	Ha traído
Nosotros	Traemos	Traíamos	Trajimos	Traeremos	Traeríamos	Hemos traído
Vosotros	Traéis	Traíais	Trajisteis	Traeréis	Traeríais	Habéis traído
Ellos	Traen	Traían	Trajeron	Traerán	Traerían	Han traído

TRAER

Cocinar

Sujeto	Presente de ind.	Imperfecto de ind.	Pretérito	Futuro	Condicional Simple	Perfecto d ind.
Yo	Cocino	Cocinaba	Cociné	Cocinaré	Cocinaría	He cocinad
Tú	Cocinas	Cocinabas	Cocinaste	Cocinarás	Cocinarías	Has cocinad
Él / Ella	Cocina	Cocinaba	Cocinó	Cocinará	Cocinaría	Ha cocinad
Nosotros	Cocinamos	Cocinábamos	Cocinamos	Cocinaremos	Cocinaríamos	Hemos cocinado
Vosotros	Cocináis	Cocinabais	Cocinasteis	Cocinaréis	Cocinaríais	Habéis cocinado
Ellos	Cocinan	Cocinaban	Cocinaron	Cocinarán	Cocinarían	Han cocinad

Garnica

Gustar

Sujeto	Presente de ind.	Imperfecto de ind.	Pretérito	Futuro	Condicional Simple	Perfecto d ind.
Yo	Gusto	Gustaba	Gusté	Gustaré	Gustaría	He gustado
Tú	Gustas	Gustabas	Gustaste	Gustarás	Gustarías	Has gustad
Él / Ella	Gusta	Gustaba	Gustó	Gustará	Gustaría	Ha gustado
Nosotros	Gustamos	Gustábamos	Gustamos	Gustaremos	Gustaríamos	Hemos gustado
Vosotros	Gustáis	Gustabais	Gustasteis	Gustaréis	Gustaríais	Habéis gustado
Ellos	Gustan	Gustaban	Gustaron	Gustarán	Gustarían	Han gustad

GUSTAR
Garnica

Abrir

Sujeto	Presente de ind.	Imperfecto de ind.	Pretérito	Futuro	Condicional Simple	Perfecto de ind.
Yo	Abro	Abría	Abrí	Abriré	Abriría	He abierto
Tú	Abres	Abrías	Abriste	Abrirás	Abrirías	Has abierto
Él / Ella	Abre	Abría	Abrió	Abrirá	Abriría	Ha abierto
Nosotros	Abrimos	Abríamos	Abrimos	Abriremos	Abriríamos	Hemos abierto
Vosotros	Abrís	Abríais	Abristeis	Abriréis	Abriríais	Habéis abierto
Ellos	Abren	Abrían	Abrieron	Abrirán	Abrirían	Han abierto

Garnica

Beber

Sujeto	Presente de ind.	Imperfecto de ind.	Pretérito	Futuro	Condicional Simple	Perfecto de ind.
Yo	Bebo	Bebía	Bebí	Beberé	Bebería	He bebido
Tú	Bebes	Bebías	Bebiste	Beberás	Beberías	Has bebido
Él / Ella	Bebe	Bebía	Bebió	Beberá	Bebería	Ha bebido
Nosotros	Bebemos	Bebíamos	Bebimos	Beberemos	Beberíamos	Hemos bebido
Vosotros	Bebéis	Bebíais	Bebisteis	Beberéis	Beberíais	Habéis bebido
Ellos	Beben	Bebían	Bebieron	Beberán	Beberían	Han bebido

beber
Garnica

Cantar

Sujeto	Presente de ind.	Imperfecto de ind.	Pretérito	Futuro	Condicional Simple	Perfecto de ind.
Yo	Canto	Cantaba	Canté	Cantaré	Cantaría	He cantado
Tú	Cantas	Cantabas	Cantaste	Cantarás	Cantarías	Has cantado
Él / Ella	Canta	Cantaba	Cantó	Cantará	Cantaría	Ha cantado
Nosotros	Cantamos	Cantábamos	Cantamos	Cantaremos	Cantaríamos	Hemos cantado
Vosotros	Cantáis	Cantabais	Cantasteis	Cantaréis	Cantaríais	Habéis cantado
Ellos	Cantan	Cantaban	Cantaron	Cantarán	Cantarían	Han cantado

CANTAR

Dormir

Sujeto	Presente de ind.	Imperfecto de ind.	Pretérito	Futuro	Condicional Simple	Perfecto de ind.
Yo	Duermo	Dormía	Dormí	Dormiré	Dormiría	He dormido
Tú	Duermes	Dormías	Dormiste	Dormirás	Dormirías	Has dormido
Él / Ella	Duerme	Dormía	Durmió	Dormirá	Dormiría	Ha dormido
Nosotros	Dormimos	Dormíamos	Dormimos	Dormiremos	Dormiríamos	Hemos dormido
Vosotros	Dormís	Dormíais	Dormisteis	Dormiréis	Dormiríais	Habéis dormido
Ellos	Duermen	Dormían	Durmieron	Dormirán	Dormirían	Han dormido

dormir
dormir
dormir
dormir
dormir
dormir
dormir
dormir
dormir
dormir
dormir
dormir
Garnica

Bajar

Sujeto	Presente de ind.	Imperfecto de ind.	Pretérito	Futuro	Condicional Simple	Perfecto de ind.
Yo	Bajo	Bajaba	Bajé	Bajaré	Bajaría	He bajado
Tú	Bajas	Bajabas	Bajaste	Bajarás	Bajarías	Has bajado
Él / Ella	Baja	Bajaba	Bajó	Bajará	Bajaría	Ha bajado
Nosotros	Bajamos	Bajábamos	Bajamos	Bajaremos	Bajaríamos	Hemos bajado
Vosotros	Bajáis	Bajabais	Bajasteis	Bajaréis	Bajaríais	Habéis bajado
Ellos	Bajan	Bajaban	Bajaron	Bajarán	Bajarían	Han bajado

Sentarse

Sujeto	Presente de ind.	Imperfecto de ind.	Pretérito	Futuro	Condicional Simple	Perfecto de ind.
Yo	Me siento	Me sentaba	Me senté	Me sentaré	Me sentaría	Me he sentado
Tú	Te sientas	Te sentabas	Te sentaste	Te sentarás	Te sentarías	Te has sentado
Él / Ella	Se sienta	Se sentaba	Se sentó	Se sentará	Se sentaría	Se ha sentado
Nosotros	Nos sentamos	Nos sentábamos	Nos sentamos	Nos sentaremos	Nos sentaríamos	Nos hemos sentado
Vosotros	Os sentáis	Os sentabais	Os sentasteis	Os sentaréis	Os sentaríais	Os habéis sentado
Ellos	Se sientan	Se sentaban	Se sentaron	Se sentarán	Se sentarían	Se han sentado

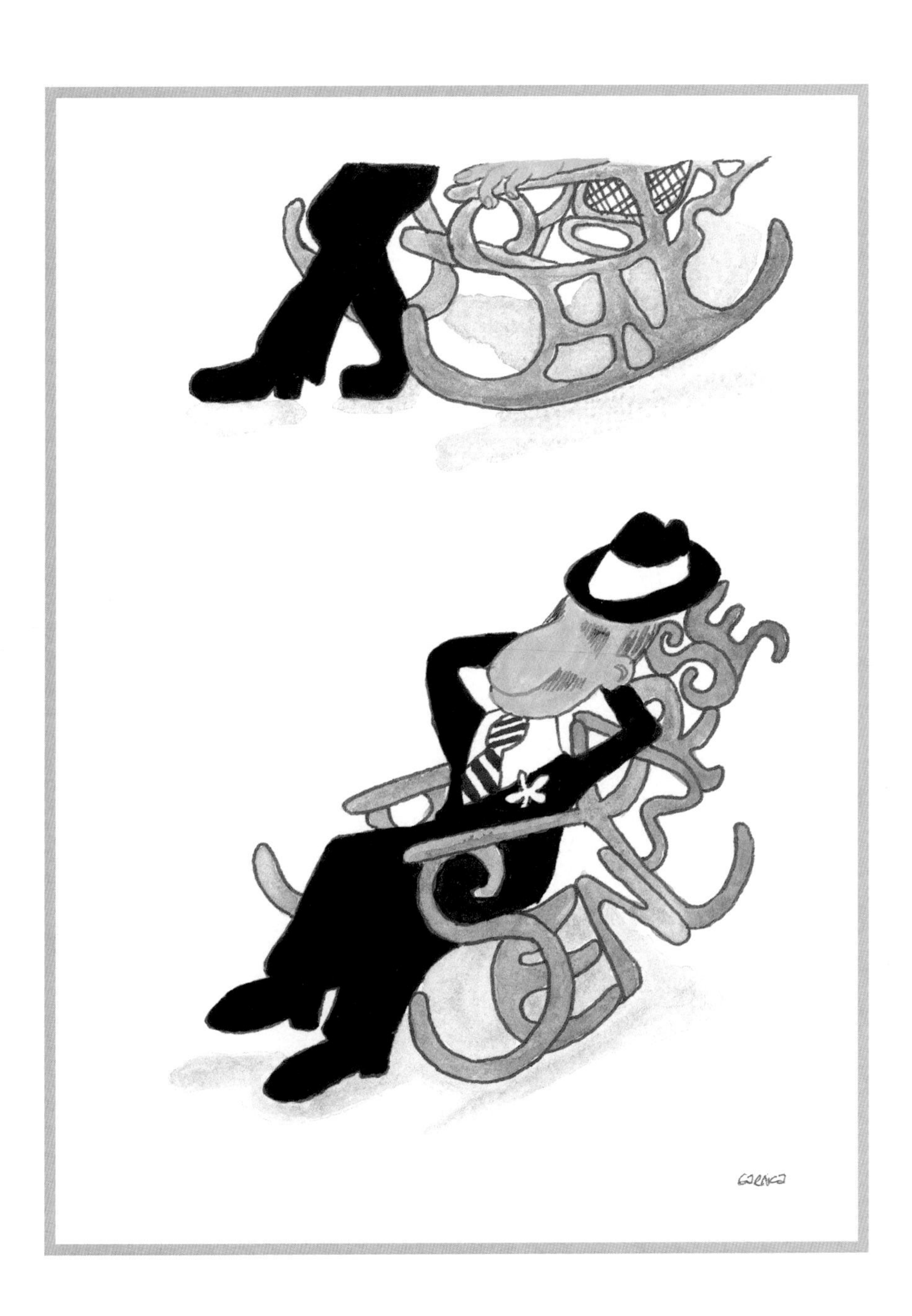

Jugar

Sujeto	Presente de ind.	Imperfecto de ind.	Pretérito	Futuro	Condicional Simple	Perfecto de ind.
Yo	Juego	Jugaba	Jugué	Jugaré	Jugaría	He jugado
Tú	Juegas	Jugabas	Jugaste	Jugarás	Jugarías	Has jugado
Él / Ella	Juega	Jugaba	Jugó	Jugará	Jugaría	Ha jugado
Nosotros	Jugamos	Jugábamos	Jugamos	Jugaremos	Jugaríamos	Hemos jugado
Vosotros	Jugáis	Jugabais	Jugasteis	Jugaréis	Jugaríais	Habéis jugado
Ellos	Juegan	Jugaban	Jugaron	Jugarán	Jugarían	Han jugado

Poner

Sujeto	Presente de ind.	Imperfecto de ind.	Pretérito	Futuro	Condicional Simple	Perfecto de ind.
Yo	Pongo	Ponía	Puse	Pondré	Pondría	He puesto
Tú	Pones	Ponías	Pusiste	Pondrás	Pondrías	Has puesto
Él / Ella	Pone	Ponía	Puso	Pondrá	Pondría	Ha puesto
Nosotros	Ponemos	Poníamos	Pusimos	Pondremos	Pondríamos	Hemos puesto
Vosotros	Ponéis	Poníais	Pusisteis	Pondréis	Pondríais	Habéis puesto
Ellos	Ponen	Ponían	Pusieron	Pondrán	Pondrían	Han puesto

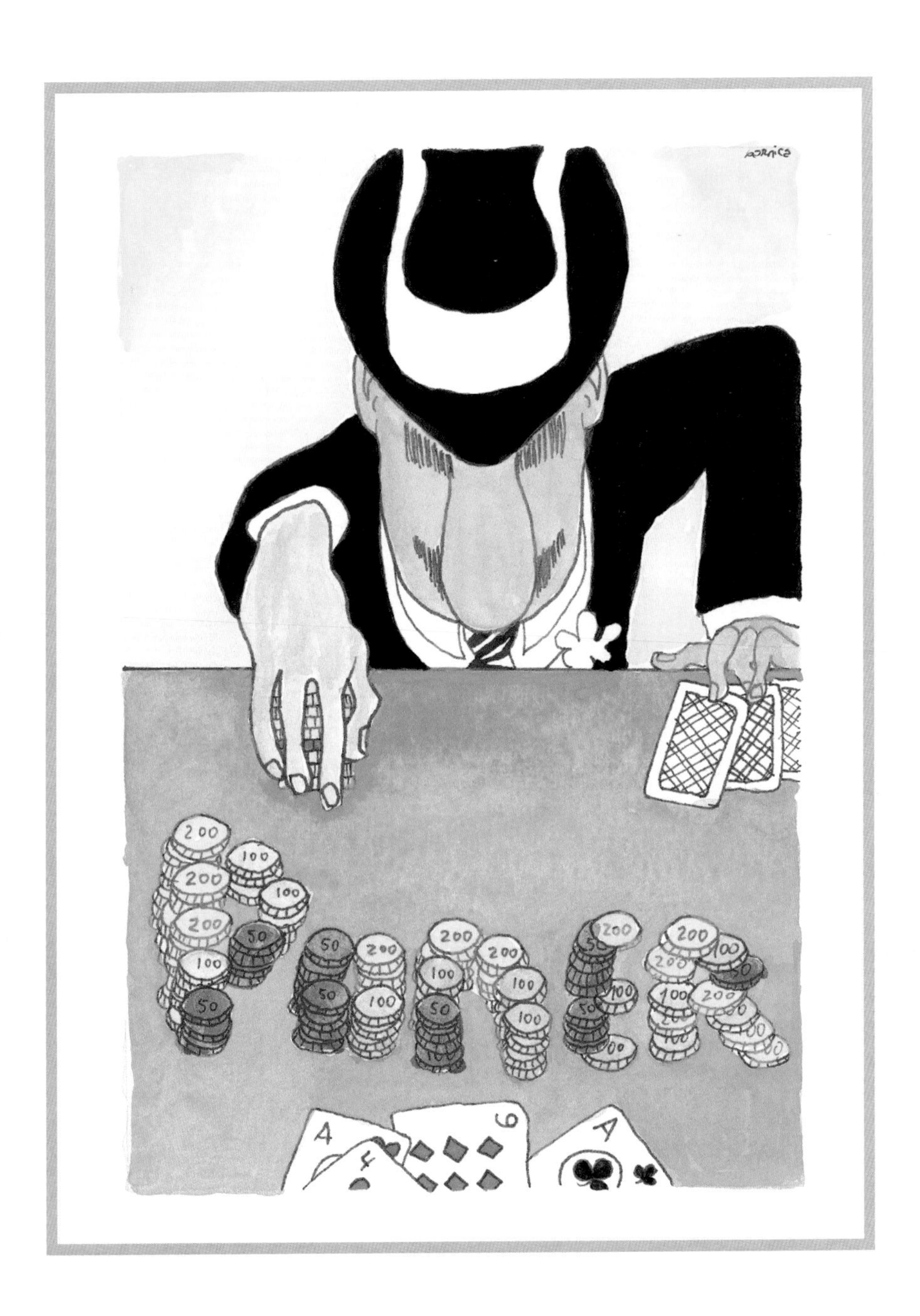

Perder

Sujeto	Presente de ind.	Imperfecto de ind.	Pretérito	Futuro	Condicional Simple	Perfecto de ind.
Yo	Pierdo	Perdía	Perdí	Perderé	Perdería	He perdido
Tú	Pierdes	Perdías	Perdiste	Perderás	Perderías	Has perdido
Él / Ella	Pierde	Perdía	Perdió	Perderá	Perdería	Ha perdido
Nosotros	Perdemos	Perdíamos	Perdimos	Perderemos	Perderíamos	Hemos perdido
Vosotros	Perdéis	Perdíais	Perdisteis	Perderéis	Perderíais	Habéis perdido
Ellos	Pierden	Perdían	Perdieron	Perderán	Perderían	Han perdido

PERDER

Despertar

Sujeto	Presente de ind.	Imperfecto de ind.	Pretérito	Futuro	Condicional Simple	Perfecto de ind.
Yo	Despierto	Despertaba	Desperté	Despertaré	Despertaría	He despertado
Tú	Despiertas	Despertabas	Despertaste	Despertarás	Despertarías	Has despertado
Él / Ella	Despierta	Despertaba	Despertó	Despertará	Despertaría	Ha despertado
Nosotros	Despertamos	Despertábamos	Despertamos	Despertaremos	Despertaríamos	Hemos despertado
Vosotros	Despertáis	Despertabais	Despertasteis	Despertaréis	Despertaríais	Habéis despertado
Ellos	Despiertan	Despertaban	Despertaron	Despertarán	Despertarían	Han despertado

Garnica
despertar
despertar
despertar

Correr

Sujeto	Presente de ind.	Imperfecto de ind.	Pretérito	Futuro	Condicional Simple	Perfecto d(ind.
Yo	Corro	Corría	Corrí	Correré	Correría	He corrido
Tú	Corres	Corrías	Corriste	Correrás	Correrías	Has corridc
Él / Ella	Corre	Corría	Corrió	Correrá	Correría	Ha corrido
Nosotros	Corremos	Corríamos	Corrimos	Correremos	Correríamos	Hemos corrido
Vosotros	Corréis	Corríais	Corristeis	Correréis	Correríais	Habéis corrido
Ellos	Corren	Corrían	Corrieron	Correrán	Correrían	Han corridc

Caer

Sujeto	Presente de ind.	Imperfecto de ind.	Pretérito	Futuro	Condicional Simple	Perfecto d ind.
Yo	Caigo	Caía	Caí	Caeré	Caería	He caído
Tú	Caes	Caías	Caíste	Caerás	Caerías	Has caído
Él / Ella	Cae	Caía	Cayó	Caerá	Caería	Ha caído
Nosotros	Caemos	Caíamos	Caímos	Caeremos	Caeríamos	Hemos caído
Vosotros	Caéis	Caíais	Caísteis	Caeréis	Caeríais	Habéis caído
Ellos	Caen	Caían	Cayeron	Caerán	Caerían	Han caído

CAER

Buscar

Sujeto	Presente de ind.	Imperfecto de ind.	Pretérito	Futuro	Condicional Simple	Perfecto de ind.
Yo	Busco	Buscaba	Busqué	Buscaré	Buscaría	He buscado
Tú	Buscas	Buscabas	Buscaste	Buscarás	Buscarías	Has buscado
Él / Ella	Busca	Buscaba	Buscó	Buscará	Buscaría	Ha buscado
Nosotros	Buscamos	Buscábamos	Buscamos	Buscaremos	Buscaríamos	Hemos buscado
Vosotros	Buscáis	Buscabais	Buscasteis	Buscaréis	Buscaríais	Habéis buscado
Ellos	Buscan	Buscaban	Buscaron	Buscarán	Buscarían	Han buscado

BUSCAR

Salir

Sujeto	Presente de ind.	Imperfecto de ind.	Pretérito	Futuro	Condicional Simple	Perfecto de ind.
Yo	Salgo	Salía	Salí	Saldré	Saldría	He salido
Tú	Sales	Salías	Saliste	Saldrás	Saldrías	Has salido
Él / Ella	Sale	Salía	Salió	Saldrá	Saldría	Ha salido
Nosotros	Salimos	Salíamos	Salimos	Saldremos	Saldríamos	Hemos salido
Vosotros	Salís	Salíais	Salisteis	Saldréis	Saldríais	Habéis salido
Ellos	Salen	Salían	Salieron	Saldrán	Saldrían	Han salido

Ducharse

Sujeto	Presente de ind.	Imperfecto de ind.	Pretérito	Futuro	Condicional Simple	Perfecto d ind.
Yo	Me ducho	Me duchaba	Me duché	Me ducharé	Me ducharía	Me he duchado
Tú	Te duchas	Te duchabas	Te duchaste	Te ducharás	Te ducharías	Te has duchado
Él / Ella	Se ducha	Se duchaba	Se duchó	Se duchará	Se ducharía	Se ha duchado
Nosotros	Nos duchamos	Nos duchábamos	Nos duchamos	Nos ducharemos	Nos ducharíamos	Nos hemo duchado
Vosotros	Os ducháis	Os duchabais	Os duchasteis	Os ducharéis	Os ducharíais	Os habéis duchado
Ellos	Se duchan	Se duchaban	Se ducharon	Se ducharán	Se ducharían	Se han duchado

duchaR duchaR
duchaR duchaR
duchaR

Peinarse

Sujeto	Presente de ind.	Imperfecto de ind.	Pretérito	Futuro	Condicional Simple	Perfecto d ind.
Yo	Me peino	Me peinaba	Me peiné	Me peinaré	Me peinaría	Me he peinado
Tú	Te peinas	Te peinabas	Te peinaste	Te peinarás	Te peinarías	Te has peinado
Él / Ella	Se peina	Se peinaba	Se peinó	Se peinará	Se peinaría	Se ha peinado
Nosotros	Nos peinamos	Nos peinábamos	Nos peinamos	Nos peinaremos	Nos peinaríamos	Nos hemo peinado
Vosotros	Os peináis	Os peinabais	Os peinasteis	Os peinaréis	Os peinaríais	Os habéis peinado
Ellos	Se peinan	Se peinaban	Se peinaron	Se peinarán	Se peinarían	Se han peinado

PEINAR

Vestirse

Sujeto	Presente de ind.	Imperfecto de ind.	Pretérito	Futuro	Condicional Simple	Perfecto d ind.
Yo	Me visto	Me vestía	Me vestí	Me vestiré	Me vestiría	Me he vestido
Tú	Te vistes	Te vestías	Te vestiste	Te vestirás	Te vestirías	Te has vestido
Él / Ella	Se viste	Se vestía	Se vistió	Se vestirá	Se vestiría	Se ha vestido
Nosotros	Nos vestimos	Nos vestíamos	Nos vestimos	Nos vestiremos	Nos vestiríamos	Nos hemo vestido
Vosotros	Os vestís	Os vestíais	Os vestisteis	Os vestiréis	Os vestiríais	Os habéis vestido
Ellos	Se visten	Se vestían	Se vistieron	Se vestirán	Se vestirían	Se han vestido

VESTIR

Llegar

Sujeto	Presente de ind.	Imperfecto de ind.	Pretérito	Futuro	Condicional Simple	Perfecto de ind.
Yo	Llego	Llegaba	Llegué	Llegaré	Llegaría	He llegado
Tú	Llegas	Llegabas	Llegaste	Llegarás	Llegarías	Has llegado
Él / Ella	Llega	Llegaba	Llegó	Llegará	Llegaría	Ha llegado
Nosotros	Llegamos	Llegábamos	Llegamos	Llegaremos	Llegaríamos	Hemos llegado
Vosotros	Llegáis	Llegabais	Llegasteis	Llegaréis	Llegaríais	Habéis llegado
Ellos	Llegan	Llegaban	Llegaron	Llegarán	Llegarían	Han llegado

20
12
14
21
22
22
5
6
7
12
14
10
21
LLEGAR

Ver

Sujeto	Presente de ind.	Imperfecto de ind.	Pretérito	Futuro	Condicional Simple	Perfecto de ind.
Yo	Veo	Veía	Vi	Veré	Vería	He visto
Tú	Ves	Veías	Viste	Verás	Verías	Has visto
Él / Ella	Ve	Veía	Vio	Verá	Vería	Ha visto
Nosotros	Vemos	Veíamos	Vimos	Veremos	Veríamos	Hemos visto
Vosotros	Veis	Veíais	Visteis	Veréis	Veríais	Habéis visto
Ellos	Ven	Veían	Vieron	Verán	Verían	Han visto

Gritar

Sujeto	Presente de ind.	Imperfecto de ind.	Pretérito	Futuro	Condicional Simple	Perfecto de ind.
Yo	Grito	Gritaba	Grité	Gritaré	Gritaría	He gritado
Tú	Gritas	Gritabas	Gritaste	Gritarás	Gritarías	Has gritado
Él / Ella	Grita	Gritaba	Gritó	Gritará	Gritaría	Ha gritado
Nosotros	Gritamos	Gritábamos	Gritamos	Gritaremos	Gritaríamos	Hemos gritado
Vosotros	Gritáis	Gritabais	Gritasteis	Gritaréis	Gritaríais	Habéis gritado
Ellos	Gritan	Gritaban	Gritaron	Gritarán	Gritarían	Han gritado

GRITAR

Oír

Sujeto	Presente de ind.	Imperfecto de ind.	Pretérito	Futuro	Condicional Simple	Perfecto d ind.
Yo	Oigo	Oía	Oí	Oiré	Oiría	He oído
Tú	Oyes	Oías	Oíste	Oirás	Oirías	Has oíd
Él / Ella	Oye	Oía	Oyó	Oirá	Oiría	Ha oído
Nosotros	Oímos	Oíamos	Oímos	Oiremos	Oiríamos	Hemos oído
Vosotros	Oís	Oíais	Oísteis	Oiréis	Oiríais	Habéis oído
Ellos	Oyen	Oían	Oyeron	Oirán	Oirían	Han oíd

Pelear

Sujeto	Presente de ind.	Imperfecto de ind.	Pretérito	Futuro	Condicional Simple	Perfecto de ind.
Yo	Peleo	Peleaba	Peleé	Pelearé	Pelearía	He peleado
Tú	Peleas	Peleabas	Peleaste	Pelearás	Pelearías	Has peleado
Él / Ella	Pelea	Peleaba	Peleó	Peleará	Pelearía	Ha peleado
Nosotros	Peleamos	Peleábamos	Peleamos	Pelearemos	Pelearíamos	Hemos peleado
Vosotros	Peleáis	Peleabais	Peleasteis	Pelearéis	Pelearíais	Habéis peleado
Ellos	Pelean	Peleaban	Pelearon	Pelearán	Pelearían	Han peleado

PE-LE-AR

Separar

Sujeto	Presente de ind.	Imperfecto de ind.	Pretérito	Futuro	Condicional Simple	Perfecto de ind.
Yo	Separo	Separaba	Separé	Separaré	Separaría	He separado
Tú	Separas	Separabas	Separaste	Separarás	Separarías	Has separado
Él / Ella	Separa	Separaba	Separó	Separará	Separaría	Ha separado
Nosotros	Separamos	Separábamos	Separamos	Separaremos	Separaríamos	Hemos separado
Vosotros	Separáis	Separabais	Separasteis	Separaréis	Separaríais	Habéis separado
Ellos	Separan	Separaban	Separaron	Separarán	Separarían	Han separado

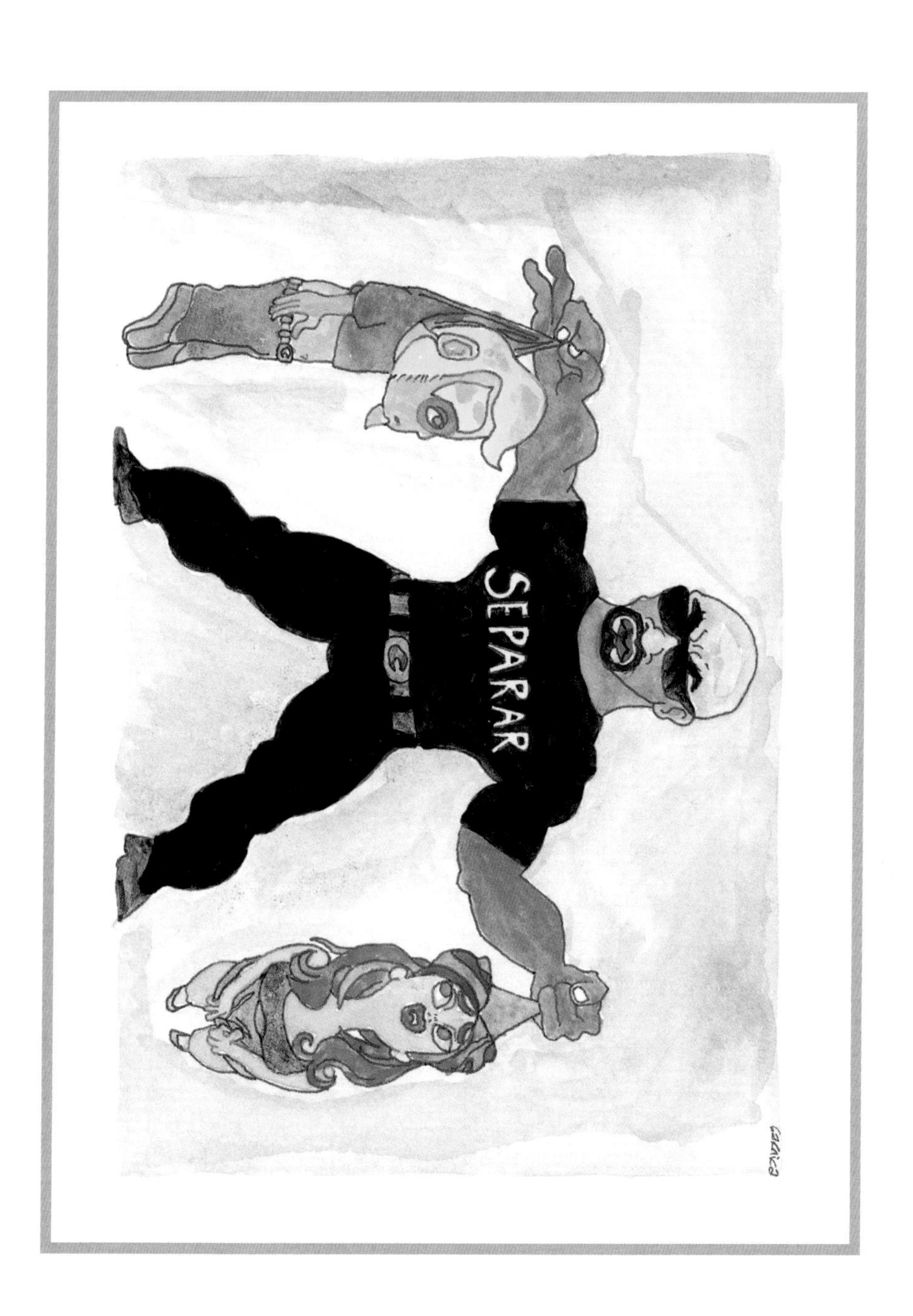
SEPARAR

Cerrar

Sujeto	Presente de ind.	Imperfecto de ind.	Pretérito	Futuro	Condicional Simple	Perfecto de ind.
Yo	Cierro	Cerraba	Cerré	Cerraré	Cerraría	He cerrado
Tú	Cierras	Cerrabas	Cerraste	Cerrarás	Cerrarías	Has cerrado
Él / Ella	Cierra	Cerraba	Cerró	Cerrará	Cerraría	Ha cerrado
Nosotros	Cerramos	Cerrábamos	Cerramos	Cerraremos	Cerraríamos	Hemos cerrado
Vosotros	Cerráis	Cerrabais	Cerrasteis	Cerraréis	Cerraríais	Habéis cerrado
Ellos	Cierran	Cerraban	Cerraron	Cerrarán	Cerrarían	Han cerrado

CERRAR
Garnica

Olvidar

Sujeto	Presente de ind.	Imperfecto de ind.	Pretérito	Futuro	Condicional Simple	Perfecto de ind.
Yo	Olvido	Olvidaba	Olvidé	Olvidaré	Olvidaría	He olvidado
Tú	Olvidas	Olvidabas	Olvidaste	Olvidarás	Olvidarías	Has olvidado
Él / Ella	Olvida	Olvidaba	Olvidó	Olvidará	Olvidaría	Ha olvidado
Nosotros	Olvidamos	Olvidábamos	Olvidamos	Olvidaremos	Olvidaríamos	Hemos olvidado
Vosotros	Olvidáis	Olvidabais	Olvidasteis	Olvidaréis	Olvidaríais	Habéis olvidado
Ellos	Olvidan	Olvidaban	Olvidaron	Olvidarán	Olvidarían	Han olvidado

OLVIDAR

Recordar

Sujeto	Presente de ind.	Imperfecto de ind.	Pretérito	Futuro	Condicional Simple	Perfecto de ind.
Yo	Recuerdo	Recordaba	Recordé	Recordaré	Recordaría	He recordado
Tú	Recuerdas	Recordabas	Recordaste	Recordarás	Recordarías	Has recordado
Él / Ella	Recuerda	Recordaba	Recordó	Recordará	Recordaría	Ha recordado
Nosotros	Recordamos	Recordábamos	Recordamos	Recordaremos	Recordaríamos	Hemos recordado
Vosotros	Recordáis	Recordabais	Recordasteis	Recordaréis	Recordaríais	Habéis recordado
Ellos	Recuerdan	Recordaban	Recordaron	Recordarán	Recordarían	Han recordado

Recordar
Recordar

Llover

Presente de ind.	Imperfecto de ind.	Pretérito	Futuro	Condicional Simple	Perfecto de ind.
Llueve	Llovía	Llovió	Lloverá	Llovería	Ha llovido
Está lloviendo	Estaba lloviendo	Estuvo lloviendo	Estará lloviendo	Estaría lloviendo	Ha estado lloviendo

Hablar

Sujeto	Presente de ind.	Imperfecto de ind.	Pretérito	Futuro	Condicional Simple	Perfecto d ind.
Yo	Hablo	Hablaba	Hablé	Hablaré	Hablaría	He hablad
Tú	Hablas	Hablabas	Hablaste	Hablarás	Hablarías	Has hablad
Él / Ella	Habla	Hablaba	Habló	Hablará	Hablaría	Ha hablad
Nosotros	Hablamos	Hablábamos	Hablamos	Hablaremos	Hablaríamos	Hemos hablado
Vosotros	Habláis	Hablabais	Hablasteis	Hablaréis	Hablaríais	Habéis hablado
Ellos	Hablan	Hablaban	Hablaron	Hablarán	Hablarían	Han hablac

hablar ha-
blar hablar
hablar ha-
blar hablar
hablar hablar
hablar
hablar
hablar
hablar
hablar
hablar
hablar
hablar
hablar
hablar
hablar hablar
hablar
hablar hablar
hablar hablar
hablar
hablar hablar
hablar
hablar
hablar
hablar

Tropezar

Sujeto	Presente de ind.	Imperfecto de ind.	Pretérito	Futuro	Condicional Simple	Perfecto de ind.
Yo	Tropiezo	Tropezaba	Tropecé	Tropezaré	Tropezaría	He tropezado
Tú	Tropiezas	Tropezabas	Tropezaste	Tropezarás	Tropezarías	Has tropezado
Él / Ella	Tropieza	Tropezaba	Tropezó	Tropezará	Tropezaría	Ha tropezado
Nosotros	Tropezamos	Tropezábamos	Tropezamos	Tropezaremos	Tropezaríamos	Hemos tropezado
Vosotros	Tropezáis	Tropezabais	Tropezasteis	Tropezaréis	Tropezaríais	Habéis tropezado
Ellos	Tropiezan	Tropezaban	Tropezaron	Tropezarán	Tropezarían	Han tropezado

GARNICA
TROPEZAR

Patear

Sujeto	Presente de ind.	Imperfecto de ind.	Pretérito	Futuro	Condicional Simple	Perfecto de ind.
Yo	Pateo	Pateaba	Pateé	Patearé	Patearía	He pateado
Tú	Pateas	Pateabas	Pateaste	Patearás	Patearías	Has pateado
Él / Ella	Patea	Pateaba	Pateó	Pateará	Patearía	Ha pateado
Nosotros	Pateamos	Pateábamos	Pateamos	Patearemos	Patearíamos	Hemos pateado
Vosotros	Pateáis	Pateabais	Pateasteis	Patearéis	Patearíais	Habéis pateado
Ellos	Patean	Pateaban	Patearon	Patearán	Patearían	Han pateado

PATEAR
Garnica

Pensar

Sujeto	Presente de ind.	Imperfecto de ind.	Pretérito	Futuro	Condicional Simple	Perfecto de ind.
Yo	Pienso	Pensaba	Pensé	Pensaré	Pensaría	He pensado
Tú	Piensas	Pensabas	Pensaste	Pensarás	Pensarías	Has pensad
Él / Ella	Piensa	Pensaba	Pensó	Pensará	Pensaría	Ha pensado
Nosotros	Pensamos	Pensábamos	Pensamos	Pensaremos	Pensaríamos	Hemos pensado
Vosotros	Pensáis	Pensabais	Pensasteis	Pensaréis	Pensaríais	Habéis pensado
Ellos	Piensan	Pensaban	Pensaron	Pensarán	Pensarían	Han pensad

Pensar

Ser

Sujeto	Presente de ind.	Imperfecto de ind.	Pretérito	Futuro	Condicional Simple	Perfecto de ind.
Yo	Soy	Era	Fui	Seré	Sería	He sido
Tú	Eres	Eras	Fuiste	Serás	Serías	Has sido
Él / Ella	Es	Era	Fue	Será	Sería	Ha sido
Nosotros	Somos	Éramos	Fuimos	Seremos	Seríamos	Hemos sido
Vosotros	Sois	Erais	Fuisteis	Seréis	Seríais	Habéis sido
Ellos	Son	Eran	Fueron	Serán	Serían	Han sido

SER

Decidir

Sujeto	Presente de ind.	Imperfecto de ind.	Pretérito	Futuro	Condicional Simple	Perfecto de ind.
Yo	Decido	Decidía	Decidí	Decidiré	Decidiría	He decidido
Tú	Decides	Decidías	Decidiste	Decidirás	Decidirías	Has decidido
Él / Ella	Decide	Decidía	Decidió	Decidirá	Decidiría	Ha decidido
Nosotros	Decidimos	Decidíamos	Decidimos	Decidiremos	Decidiríamos	Hemos decidido
Vosotros	Decidís	Decidíais	Decidisteis	Decidiréis	Decidiríais	Habéis decidido
Ellos	Deciden	Decidían	Decidieron	Decidirán	Decidirían	Han decidido

GARNICA

Saber

Sujeto	Presente de ind.	Imperfecto de ind.	Pretérito	Futuro	Condicional Simple	Perfecto de ind.
Yo	Sé	Sabía	Supe	Sabré	Sabría	He sabido
Tú	Sabes	Sabías	Supiste	Sabrás	Sabrías	Has sabido
Él / Ella	Sabe	Sabía	Supo	Sabrá	Sabría	Ha sabido
Nosotros	Sabemos	Sabíamos	Supimos	Sabremos	Sabríamos	Hemos sabido
Vosotros	Sabéis	Sabíais	Supisteis	Sabréis	Sabríais	Habéis sabido
Ellos	Saben	Sabían	Supieron	Sabrán	Sabrían	Han sabido

Saber
Garnica

Cambiar

Sujeto	Presente de ind.	Imperfecto de ind.	Pretérito	Futuro	Condicional Simple	Perfecto de ind.
Yo	Cambio	Cambiaba	Cambié	Cambiaré	Cambiaría	He cambiado
Tú	Cambias	Cambiabas	Cambiaste	Cambiarás	Cambiarías	Has cambiado
Él / Ella	Cambia	Cambiaba	Cambió	Cambiará	Cambiaría	Ha cambiado
Nosotros	Cambiamos	Cambiábamos	Cambiamos	Cambiaremos	Cambiaríamos	Hemos cambiado
Vosotros	Cambiáis	Cambiabais	Cambiasteis	Cambiaréis	Cambiaríais	Habéis cambiado
Ellos	Cambian	Cambiaban	Cambiaron	Cambiarán	Cambiarían	Han cambiado

CAMBIAR
0.10
0.09
0.57
1.00
0.15
1.10
0.80

Aprender

Sujeto	Presente de ind.	Imperfecto de ind.	Pretérito	Futuro	Condicional Simple	Perfecto de ind.
Yo	Aprendo	Aprendía	Aprendí	Aprenderé	Aprendería	He aprendido
Tú	Aprendes	Aprendías	Aprendiste	Aprenderás	Aprenderías	Has aprendido
Él / Ella	Aprende	Aprendía	Aprendió	Aprenderá	Aprendería	Ha aprendido
Nosotros	Aprendemos	Aprendíamos	Aprendimos	Aprenderemos	Aprenderíamos	Hemos aprendido
Vosotros	Aprendéis	Aprendíais	Aprendisteis	Aprenderéis	Aprenderíais	Habéis aprendido
Ellos	Aprenden	Aprendían	Aprendieron	Aprenderán	Aprenderían	Han aprendido

Estudiar

Sujeto	Presente de ind.	Imperfecto de ind.	Pretérito	Futuro	Condicional Simple	Perfecto de ind.
Yo	Estudio	Estudiaba	Estudié	Estudiaré	Estudiaría	He estudiado
Tú	Estudias	Estudiabas	Estudiaste	Estudiarás	Estudiarías	Has estudiadc
Él / Ella	Estudia	Estudiaba	Estudió	Estudiará	Estudiaría	Ha estudiado
Nosotros	Estudiamos	Estudiábamos	Estudiamos	Estudiaremos	Estudiaríamos	Hemos estudiado
Vosotros	Estudiáis	Estudiabais	Estudiasteis	Estudiaréis	Estudiaríais	Habéis estudiado
Ellos	Estudian	Estudiaban	Estudiaron	Estudiarán	Estudiarían	Han estudiadc

Soñar

Sujeto	Presente de ind.	Imperfecto de ind.	Pretérito	Futuro	Condicional Simple	Perfecto de ind.
Yo	Sueño	Soñaba	Soñé	Soñaré	Soñaría	He soñado
Tú	Sueñas	Soñabas	Soñaste	Soñarás	Soñarías	Has soñado
Él / Ella	Sueña	Soñaba	Soñó	Soñará	Soñaría	Ha soñado
Nosotros	Soñamos	Soñábamos	Soñamos	Soñaremos	Soñaríamos	Hemos soñado
Vosotros	Soñáis	Soñabais	Soñasteis	Soñaréis	Soñaríais	Habéis soñado
Ellos	Sueñan	Soñaban	Soñaron	Soñarán	Soñarían	Han soñado

GaRnica

Empezar

Sujeto	Presente de ind.	Imperfecto de ind.	Pretérito	Futuro	Condicional Simple	Perfecto de ind.
Yo	Empiezo	Empezaba	Empecé	Empezaré	Empezaría	He empezado
Tú	Empiezas	Empezabas	Empezaste	Empezarás	Empezarías	Has empezado
Él / Ella	Empieza	Empezaba	Empezó	Empezará	Empezaría	Ha empezado
Nosotros	Empezamos	Empezábamos	Empezamos	Empezaremos	Empezaríamos	Hemos empezado
Vosotros	Empezáis	Empezabais	Empezasteis	Empezaréis	Empezaríais	Habéis empezado
Ellos	Empiezan	Empezaban	Empezaron	Empezarán	Empezarían	Han empezado

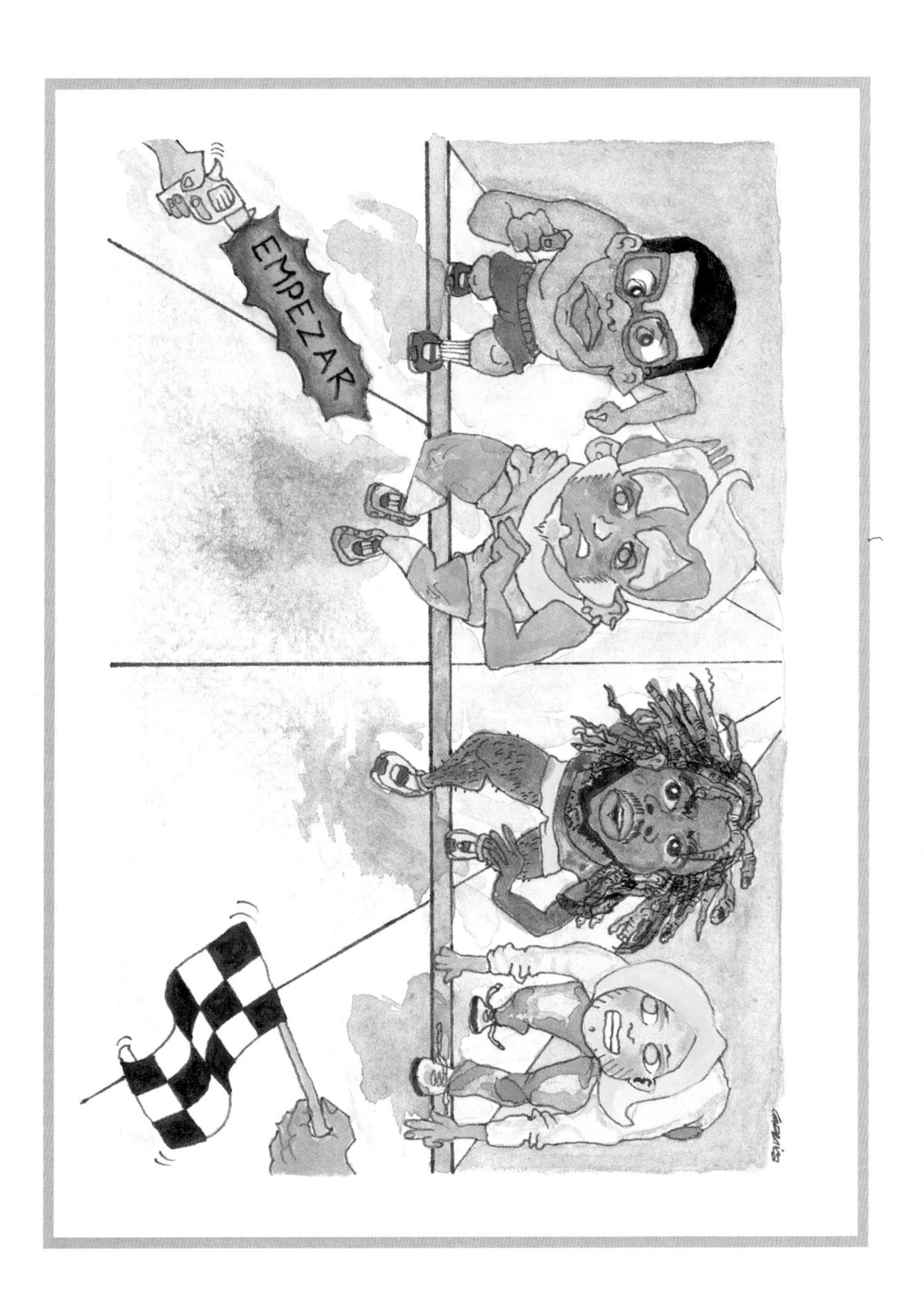
EMPEZAR

Acabar

Sujeto	Presente de ind.	Imperfecto de ind.	Pretérito	Futuro	Condicional Simple	Perfecto de ind.
Yo	Acabo	Acababa	Acabé	Acabaré	Acabaría	He acabado
Tú	Acabas	Acababas	Acabaste	Acabarás	Acabarías	Has acabado
Él / Ella	Acaba	Acababa	Acabó	Acabará	Acabaría	Ha acabado
Nosotros	Acabamos	Acabábamos	Acabamos	Acabaremos	Acabaríamos	Hemos acabado
Vosotros	Acabáis	Acababais	Acabasteis	Acabaréis	Acabaríais	Habéis acabado
Ellos	Acaban	Acababan	Acabaron	Acabarán	Acabarían	Han acabado

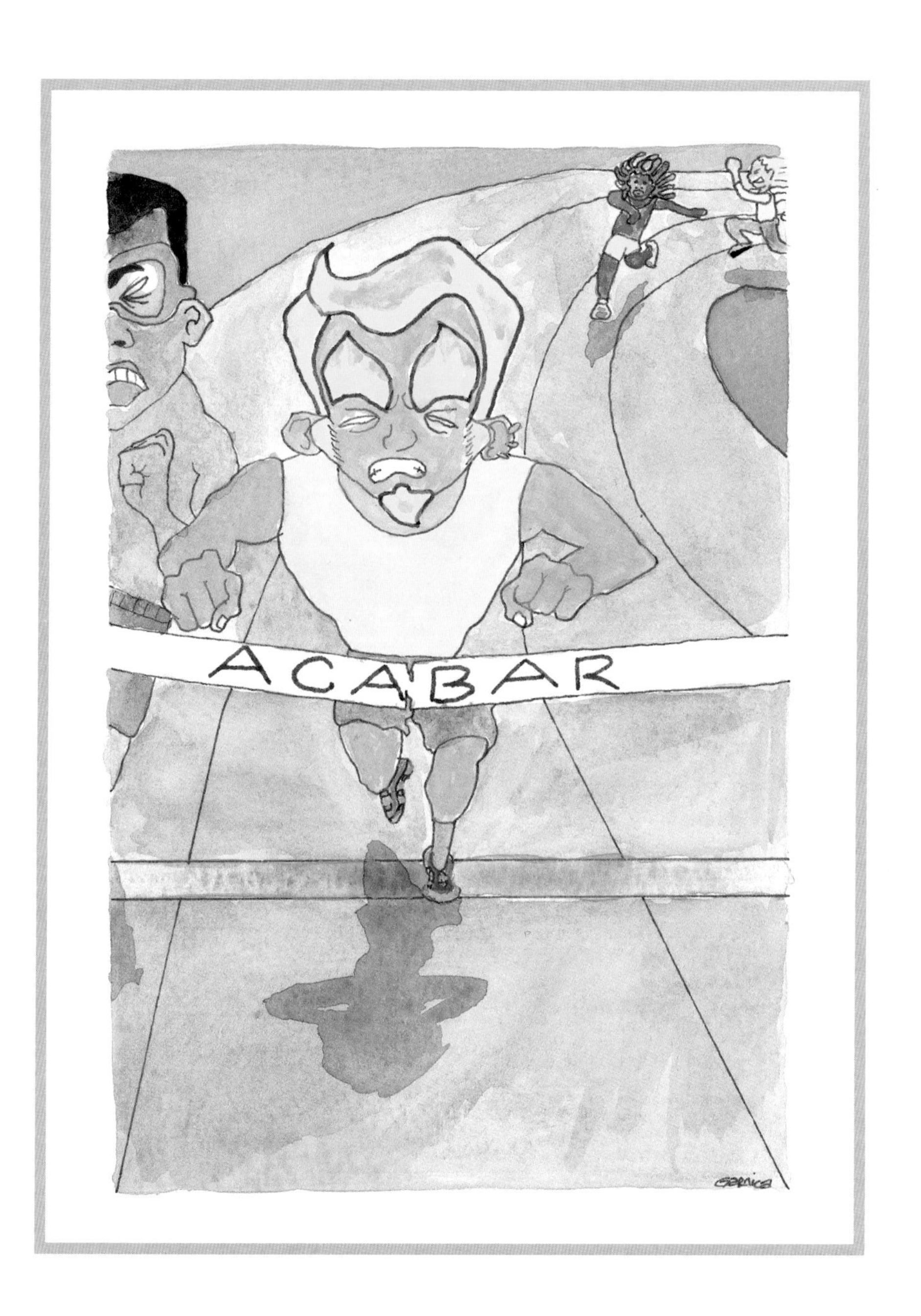
ACABAR

Ganar

Sujeto	Presente de ind.	Imperfecto de ind.	Pretérito	Futuro	Condicional Simple	Perfecto de ind.
Yo	Gano	Ganaba	Gané	Ganaré	Ganaría	He ganado
Tú	Ganas	Ganabas	Ganaste	Ganarás	Ganarías	Has ganado
Él / Ella	Gana	Ganaba	Ganó	Ganará	Ganaría	Ha ganado
Nosotros	Ganamos	Ganábamos	Ganamos	Ganaremos	Ganaríamos	Hemos ganado
Vosotros	Ganáis	Ganabais	Ganasteis	Ganaréis	Ganaríais	Habéis ganado
Ellos	Ganan	Ganaban	Ganaron	Ganarán	Ganarían	Han ganado

GANAR
2
3

Mentir

Sujeto	Presente de ind.	Imperfecto de ind.	Pretérito	Futuro	Condicional Simple	Perfecto de ind.
Yo	Miento	Mentía	Mentí	Mentiré	Mentiría	He mentido
Tú	Mientes	Mentías	Mentiste	Mentirás	Mentirías	Has mentido
Él / Ella	Miente	Mentía	Mintió	Mentirá	Mentiría	Ha mentido
Nosotros	Mentimos	Mentíamos	Mentimos	Mentiremos	Mentiríamos	Hemos mentido
Vosotros	Mentís	Mentíais	Mentisteis	Mentiréis	Mentiríais	Habéis mentido
Ellos	Mienten	Mentían	Mintieron	Mentirán	Mentirían	Han mentido

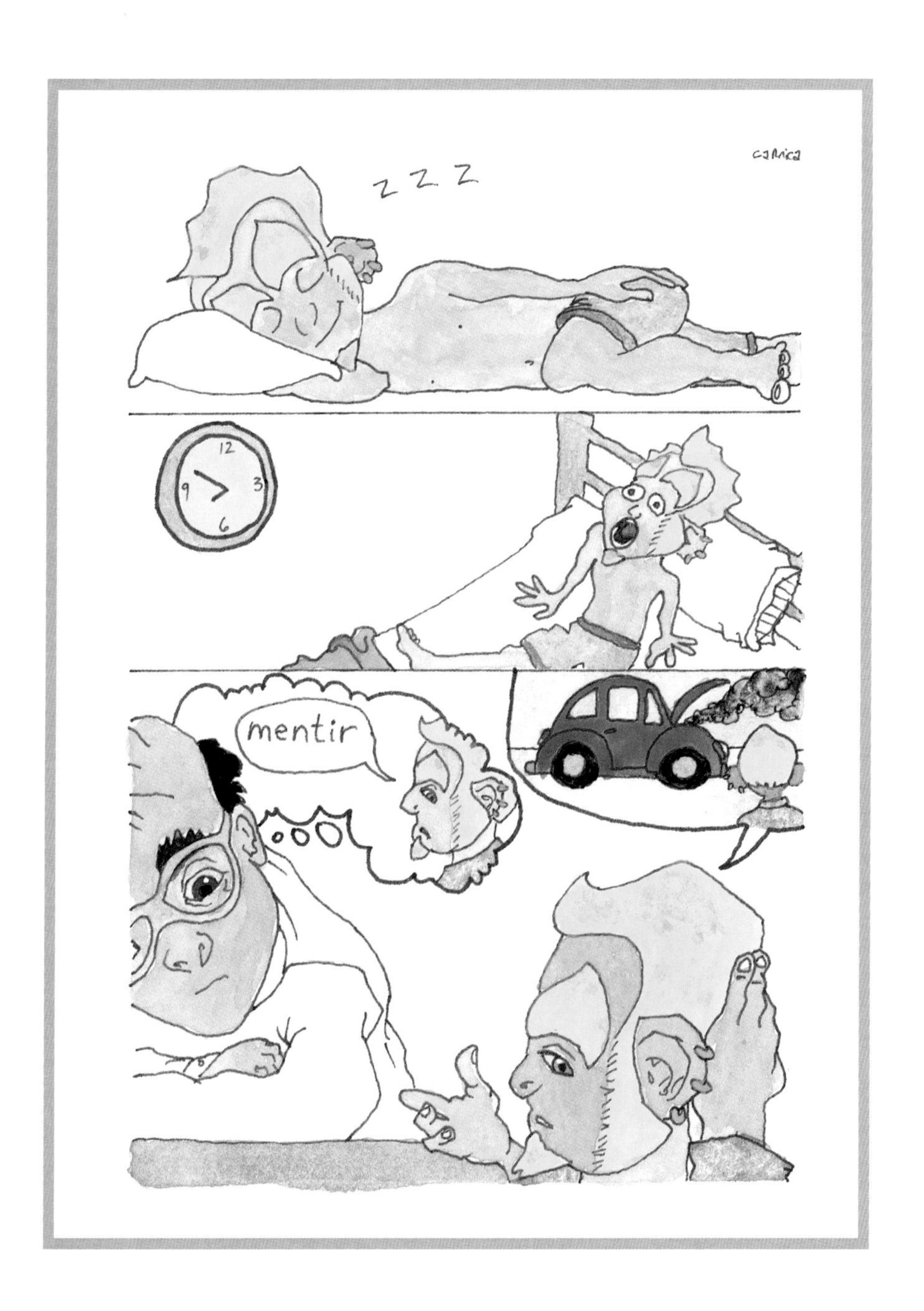
z z z
mentir

Evaluar

Sujeto	Presente de ind.	Imperfecto de ind.	Pretérito	Futuro	Condicional Simple	Perfecto d ind.
Yo	Evaluo	Evaluaba	Evalué	Evaluaré	Evaluaría	He evaluad
Tú	Evaluas	Evaluabas	Evaluaste	Evaluarás	Evaluarías	Has evaluad
Él / Ella	Evalua	Evaluaba	Evaluó	Evaluará	Evaluaría	Ha evaluad
Nosotros	Evaluamos	Evaluábamos	Evaluamos	Evaluaremos	Evaluaríamos	Hemos evaluado
Vosotros	Evaluáis	Evaluabais	Evaluasteis	Evaluaréis	Evaluaríais	Habéis evaluado
Ellos	Evaluan	Evaluaban	Evaluaron	Evaluarán	Evaluarían	Han evaluad

Conducir

Sujeto	Presente de ind.	Imperfecto de ind.	Pretérito	Futuro	Condicional Simple	Perfecto d ind.
Yo	Conduzco	Conducía	Conduje	Conduciré	Conduciría	He conducid
Tú	Conduces	Conducías	Condujiste	Conducirás	Conducirías	Has conducido
Él / Ella	Conduce	Conducía	Condujo	Conducirá	Conduciría	Ha conducid
Nosotros	Conducimos	Conducíamos	Condujimos	Conduciremos	Conduciríamos	Hemos conducido
Vosotros	Conducís	Conducíais	Condujisteis	Conduciréis	Conduciríais	Habéis conducido
Ellos	Conducen	Conducían	Condujeron	Conducirán	Conducirían	Han conducido

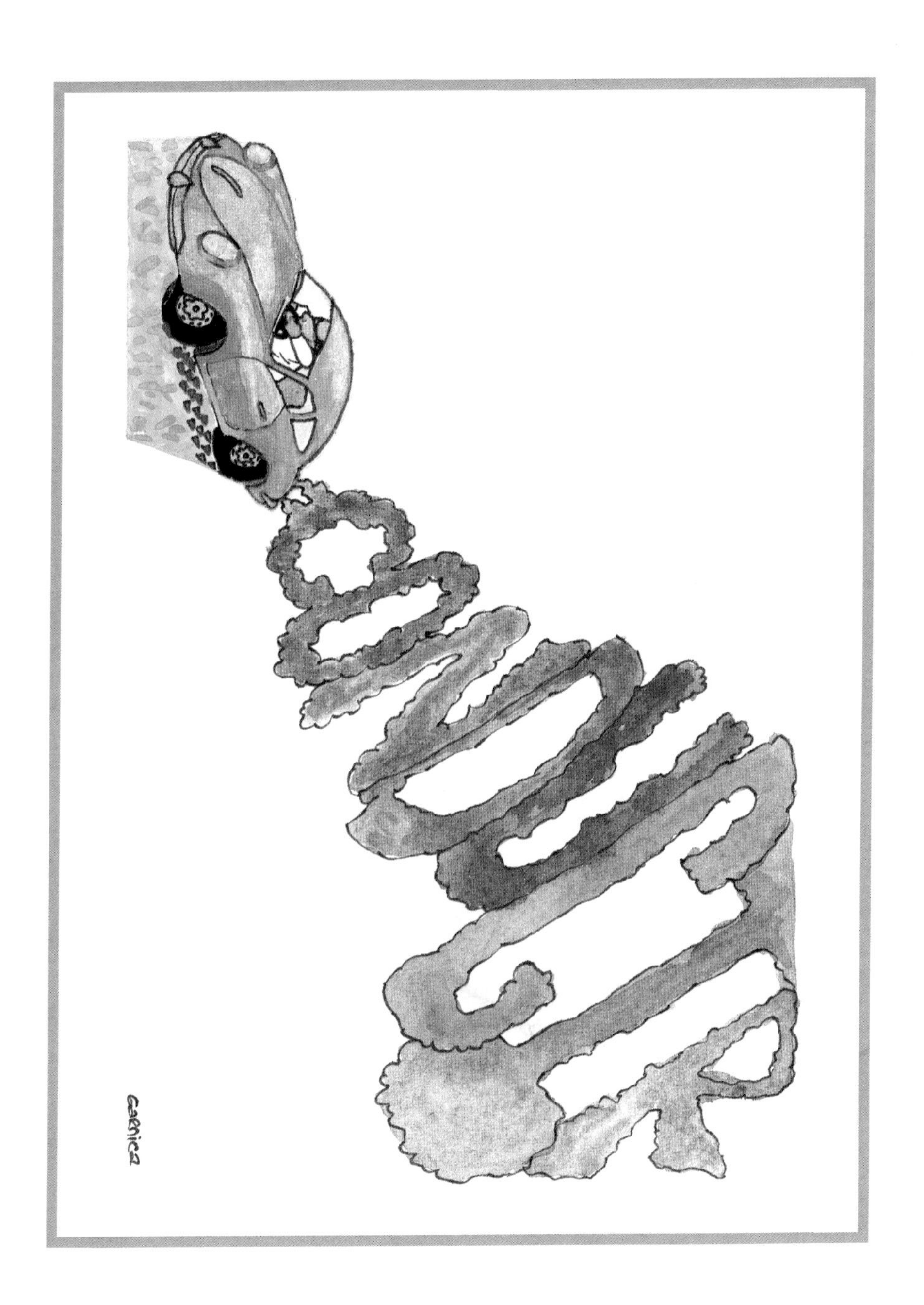

Contar

Sujeto	Presente de ind.	Imperfecto de ind.	Pretérito	Futuro	Condicional Simple	Perfecto de ind.
Yo	Cuento	Contaba	Conté	Contaré	Contaría	He contado
Tú	Cuentas	Contabas	Contaste	Contarás	Contarías	Has contado
Él / Ella	Cuenta	Contaba	Contó	Contará	Contaría	Ha contado
Nosotros	Contamos	Contábamos	Contamos	Contaremos	Contaríamos	Hemos contado
Vosotros	Contáis	Contabais	Contasteis	Contaréis	Contaríais	Habéis contado
Ellos	Cuentan	Contaban	Contaron	Contarán	Contarían	Han contado

Ordenar

Sujeto	Presente de ind.	Imperfecto de ind.	Pretérito	Futuro	Condicional Simple	Perfecto de ind.
Yo	Ordeno	Ordenaba	Ordené	Ordenaré	Ordenaría	He ordenad
Tú	Ordenas	Ordenabas	Ordenaste	Ordenarás	Ordenarías	Has ordenado
Él / Ella	Ordena	Ordenaba	Ordenó	Ordenará	Ordenaría	Ha ordenad
Nosotros	Ordenamos	Ordenábamos	Ordenamos	Ordenaremos	Ordenaríamos	Hemos ordenado
Vosotros	Ordenáis	Ordenabais	Ordenasteis	Ordenaréis	Ordenaríais	Habéis ordenado
Ellos	Ordenan	Ordenaban	Ordenaron	Ordenarán	Ordenarían	Han ordenado

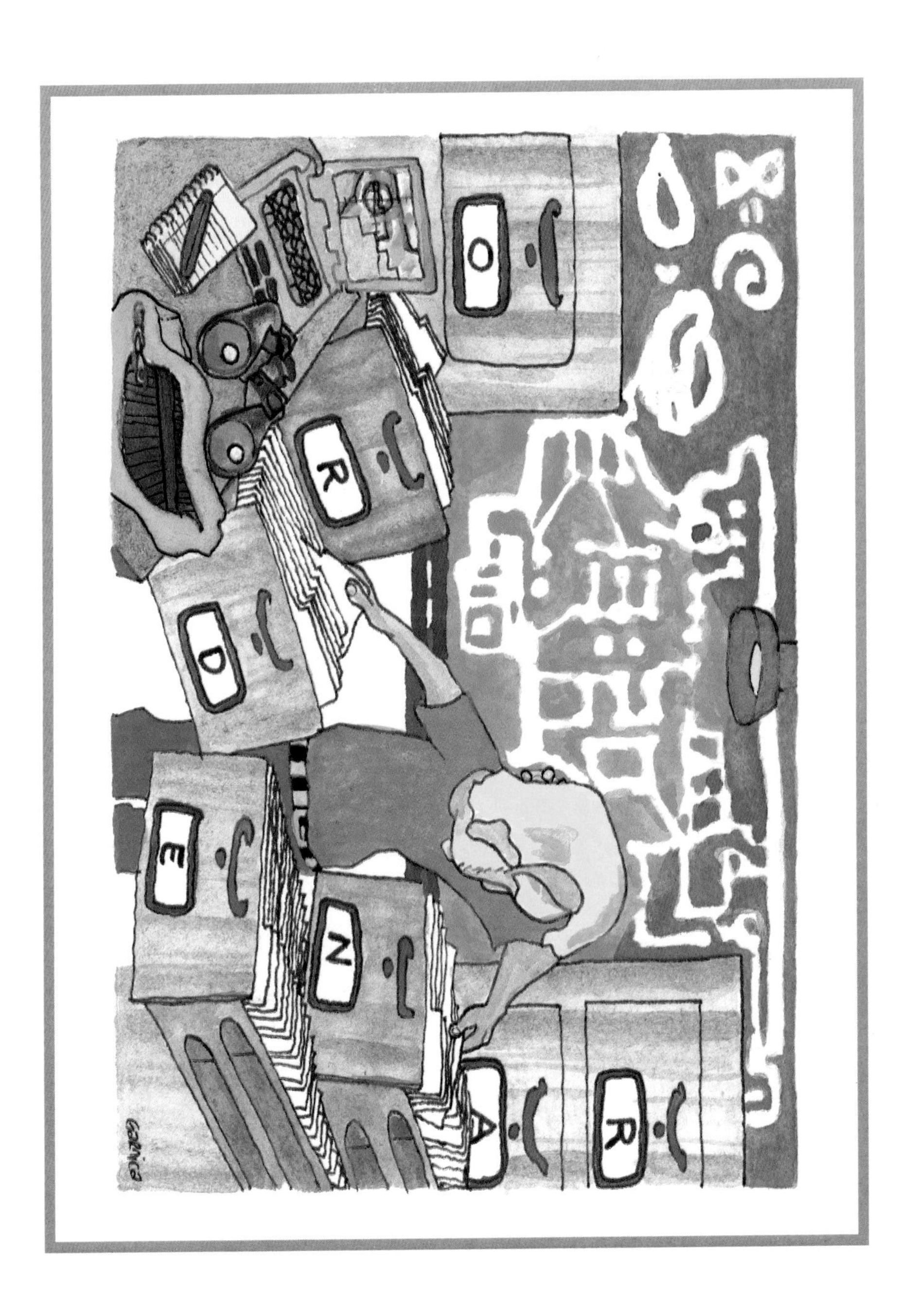
O
R
D
E
N
A
R

Construir

Sujeto	Presente de ind.	Imperfecto de ind.	Pretérito	Futuro	Condicional Simple	Perfecto de ind.
Yo	Construyo	Construía	Construí	Construiré	Construiría	He construid
Tú	Construyes	Construías	Construiste	Construirás	Construirías	Has construido
Él / Ella	Construye	Construía	Construyó	Construirá	Construiría	Ha construid
Nosotros	Construimos	Construíamos	Construimos	Construiremos	Construiríamos	Hemos construido
Vosotros	Construís	Construíais	Construisteis	Construiréis	Construiríais	Habéis construido
Ellos	Construyen	Construían	Construyeron	Construirán	Construirían	Han construido

construir

Limpiar

Sujeto	Presente de ind.	Imperfecto de ind.	Pretérito	Futuro	Condicional Simple	Perfecto de ind.
Yo	Limpio	Limpiaba	Limpié	Limpiaré	Limpiaría	He limpiado
Tú	Limpias	Limpiabas	Limpiaste	Limpiarás	Limpiarías	Has limpiado
Él / Ella	Limpia	Limpiaba	Limpió	Limpiará	Limpiaría	Ha limpiado
Nosotros	Limpiamos	Limpiábamos	Limpiamos	Limpiaremos	Limpiaríamos	Hemos limpiado
Vosotros	Limpiáis	Limpiabais	Limpiasteis	Limpiaréis	Limpiaríais	Habéis limpiado
Ellos	Limpian	Limpiaban	Limpiaron	Limpiarán	Limpiarían	Han limpiado

Pulir

Sujeto	Presente de ind.	Imperfecto de ind.	Pretérito	Futuro	Condicional Simple	Perfecto de ind.
Yo	Pulo	Pulía	Pulí	Puliré	Puliría	He pulido
Tú	Pules	Pulías	Puliste	Pulirás	Pulirías	Has pulido
Él / Ella	Pule	Pulía	Pulió	Pulirá	Puliría	Ha pulido
Nosotros	Pulimos	Pulíamos	Pulimos	Puliremos	Puliríamos	Hemos pulido
Vosotros	Pulís	Pulíais	Pulisteis	Puliréis	Puliríais	Habéis pulido
Ellos	Pulen	Pulían	Pulieron	Pulirán	Pulirían	Han pulido

PULIR

Escribir

Sujeto	Presente de ind.	Imperfecto de ind.	Pretérito	Futuro	Condicional Simple	Perfecto de ind.
Yo	Escribo	Escribía	Escribí	Escribiré	Escribiría	He escrito
Tú	Escribes	Escribías	Escribiste	Escribirás	Escribirías	Has escrito
Él / Ella	Escribe	Escribía	Escribió	Escribirá	Escribiría	Ha escrito
Nosotros	Escribimos	Escribíamos	Escribimos	Escribiremos	Escribiríamos	Hemos escrit
Vosotros	Escribís	Escribíais	Escribisteis	Escribiréis	Escribiríais	Habéis escrit
Ellos	Escriben	Escribían	Escribieron	Escribirán	Escribirían	Han escrito

escribir
escribir
escribir
escribir
escribir
escr ibir
escribi
escribir
escribir
escribir
escribir
escribir

Recibir

Sujeto	Presente de ind.	Imperfecto de ind.	Pretérito	Futuro	Condicional Simple	Perfecto de ind.
Yo	Recibo	Recibía	Recibí	Recibiré	Recibiría	He recibido
Tú	Recibes	Recibías	Recibiste	Recibirás	Recibirías	Has recibido
Él / Ella	Recibe	Recibía	Recibió	Recibirá	Recibiría	Ha recibido
Nosotros	Recibimos	Recibíamos	Recibimos	Recibiremos	Recibiríamos	Hemos recibido
Vosotros	Recibís	Recibíais	Recibisteis	Recibiréis	Recibiríais	Habéis recibido
Ellos	Reciben	Recibían	Recibieron	Recibirán	Recibirían	Han recibido

Recibir:

Dar

Sujeto	Presente de ind.	Imperfecto de ind.	Pretérito	Futuro	Condicional Simple	Perfecto de ind.
Yo	Doy	Daba	Di	Daré	Daría	He dado
Tú	Das	Dabas	Diste	Darás	Darías	Has dado
Él / Ella	Da	Daba	Dio	Dará	Daría	Ha dado
Nosotros	Damos	Dábamos	Dimos	Daremos	Daríamos	Hemos dado
Vosotros	Dais	Dabais	Disteis	Daréis	Daríais	Habéis dado
Ellos	Dan	Daban	Dieron	Darán	Darían	Han dado

Mostrar

Sujeto	Presente de ind.	Imperfecto de ind.	Pretérito	Futuro	Condicional Simple	Perfecto de ind.
Yo	Muestro	Mostraba	Mostré	Mostraré	Mostraría	He mostrado
Tú	Muestras	Mostrabas	Mostraste	Mostrarás	Mostrarías	Has mostrado
Él / Ella	Muestra	Mostraba	Mostró	Mostrará	Mostraría	Ha mostrado
Nosotros	Mostramos	Mostrábamos	Mostramos	Mostraremos	Mostraríamos	Hemos mostrado
Vosotros	Mostráis	Mostrabais	Mostrasteis	Mostraréis	Mostraríais	Habéis mostrado
Ellos	Muestran	Mostraban	Mostraron	Mostrarán	Mostrarían	Han mostrado

Besar

Sujeto	Presente de ind.	Imperfecto de ind.	Pretérito	Futuro	Condicional Simple	Perfecto de ind.
Yo	Beso	Besaba	Besé	Besaré	Besaría	He besado
Tú	Besas	Besabas	Besaste	Besarás	Besarías	Has besado
Él / Ella	Besa	Besaba	Besó	Besará	Besaría	Ha besado
Nosotros	Besamos	Besábamos	Besamos	Besaremos	Besaríamos	Hemos besado
Vosotros	Besáis	Besabais	Besasteis	Besaréis	Besaríais	Habéis besado
Ellos	Besan	Besaban	Besaron	Besarán	Besarían	Han besado

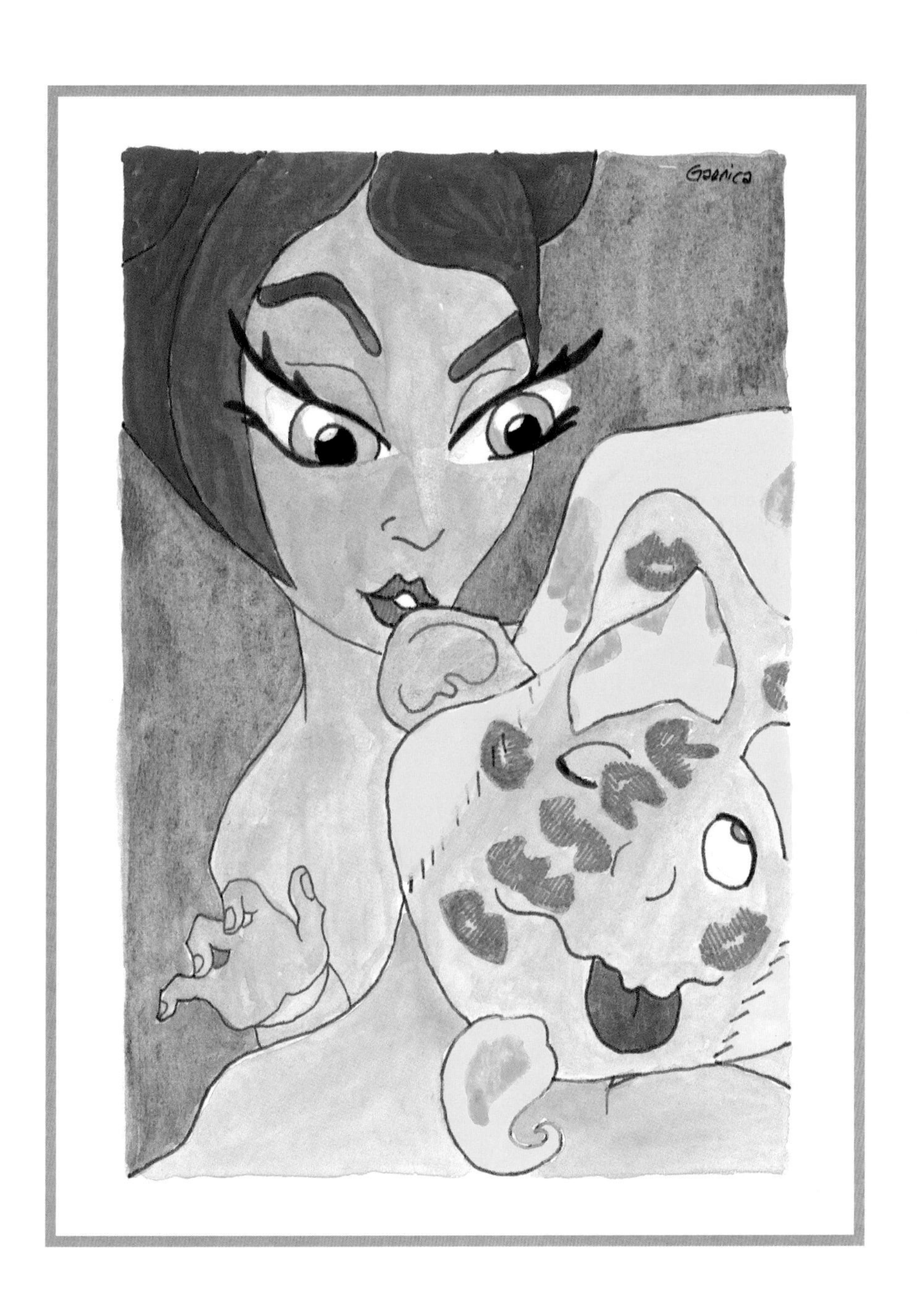
Garnica

Comprar

Sujeto	Presente de ind.	Imperfecto de ind.	Pretérito	Futuro	Condicional Simple	Perfecto de ind.
Yo	Compro	Compraba	Compré	Compraré	Compraría	He comprado
Tú	Compras	Comprabas	Compraste	Comprarás	Comprarías	Has comprado
Él / Ella	Compra	Compraba	Compró	Comprará	Compraría	Ha comprado
Nosotros	Compramos	Comprábamos	Compramos	Compraremos	Compraríamos	Hemos comprado
Vosotros	Compráis	Comprabais	Comprasteis	Compraréis	Compraríais	Habéis comprado
Ellos	Compran	Compraban	Compraron	Comprarán	Comprarían	Han comprado

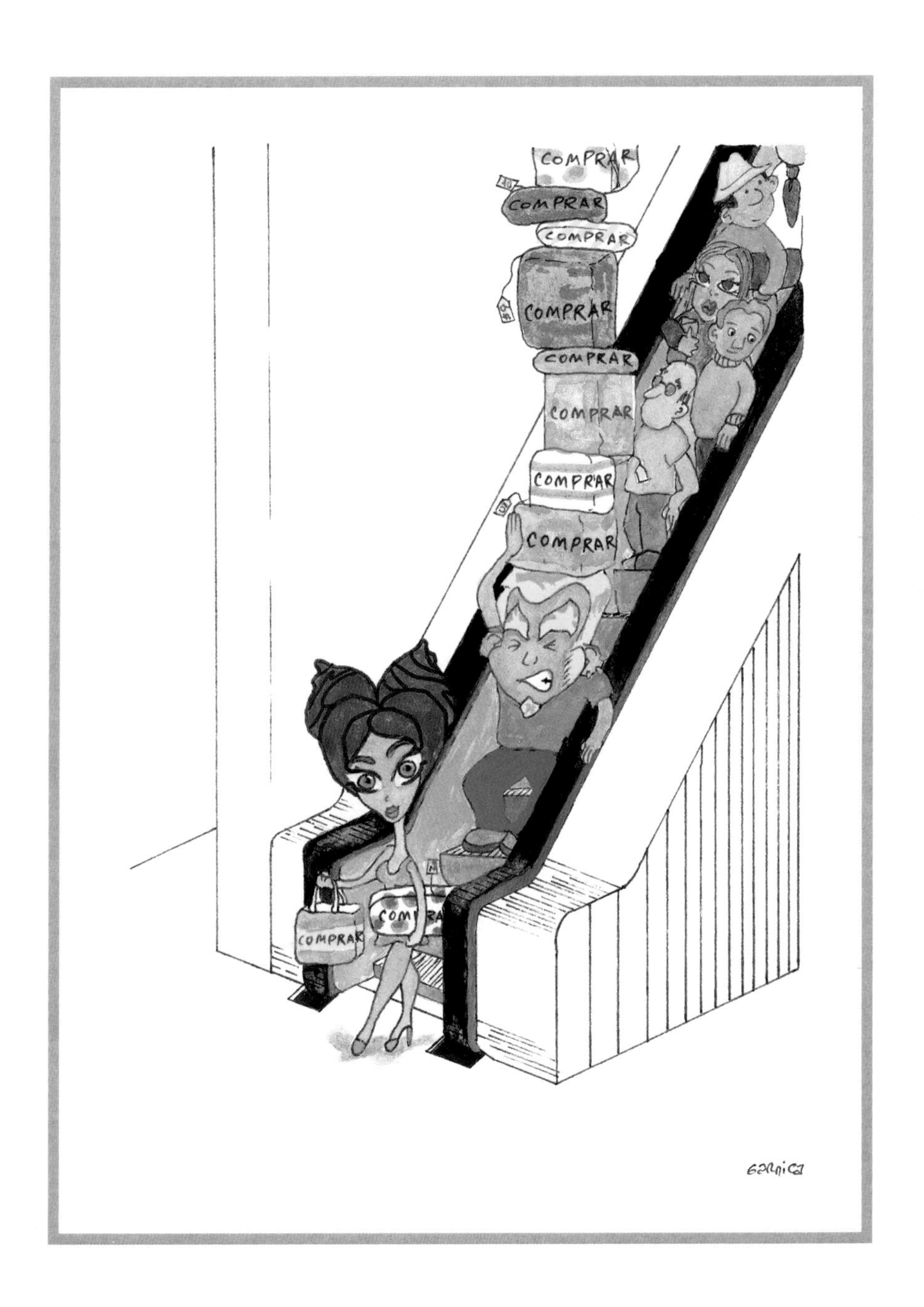
COMPRAR
COMPRAR
COMPRAR
COMPRAR
COMPRAR
COMPRAR
COMPRAR
COMPRAR
COMPRAR
Garnica

Pagar

Sujeto	Presente de ind.	Imperfecto de ind.	Pretérito	Futuro	Condicional Simple	Perfecto de ind.
Yo	Pago	Pagaba	Pagué	Pagaré	Pagaría	He pagado
Tú	Pagas	Pagabas	Pagaste	Pagarás	Pagarías	Has pagado
Él / Ella	Paga	Pagaba	Pagó	Pagará	Pagaría	Ha pagado
Nosotros	Pagamos	Pagábamos	Pagamos	Pagaremos	Pagaríamos	Hemos pagado
Vosotros	Pagáis	Pagabais	Pagasteis	Pagaréis	Pagaríais	Habéis pagado
Ellos	Pagan	Pagaban	Pagaron	Pagarán	Pagarían	Han pagado

PAGAR
Garnica

Ir

Sujeto	**Presente de ind.**	**Imperfecto de ind.**	**Pretérito**	**Futuro**	**Condicional Simple**	**Perfecto de ind.**
Yo	Voy	Iba	Fui	Iré	Iría	He ido
Tú	Vas	Ibas	Fuiste	Irás	Irías	Has ido
Él / Ella	Va	Iba	Fue	Irá	Iría	Ha ido
Nosotros	Vamos	Íbamos	Fuimos	Iremos	Iríamos	Hemos ido
Vosotros	Vais	Ibais	Fuisteis	Iréis	Iríais	Habéis ido
Ellos	Van	Iban	Fueron	Irán	Irían	Han ido

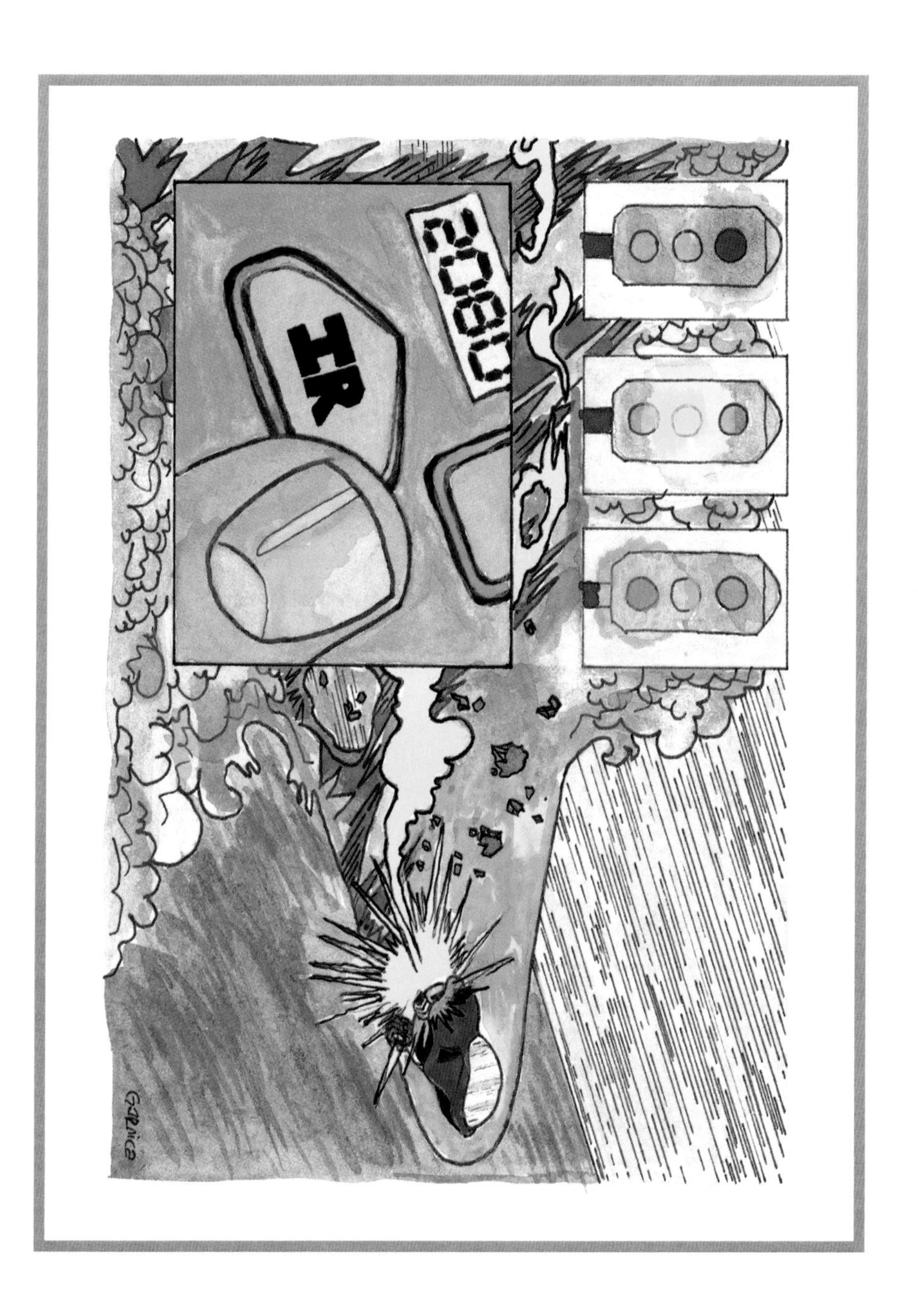
IR
2080

Casarse

Sujeto	Presente de ind.	Imperfecto de ind.	Pretérito	Futuro	Condicional Simple	Perfecto de ind.
Yo	Me caso	Me casaba	Me casé	Me casaré	Me casaría	Me he casado
Tú	Te casas	Te casabas	Te casaste	Te casarás	Te casarías	Te has casado
Él / Ella	Se casa	Se casaba	Se casó	Se casará	Se casaría	Se ha casado
Nosotros	Nos casamos	Nos casábamos	Nos casamos	Nos casaremos	Nos casaríamos	Nos hemos casado
Vosotros	Os casáis	Os casabais	Os casasteis	Os casaréis	Os casaríais	Os habéis casado
Ellos	Se casan	Se casaban	Se casaron	Se casarán	Se casarían	Se han casado

2080
CASARSE
?
Garnica

Prohibir

Sujeto	Presente de ind.	Imperfecto de ind.	Pretérito	Futuro	Condicional Simple	Perfecto de ind.
Yo	Prohibo	Prohibía	Prohibí	Prohibiré	Prohibiría	He prohibido
Tú	Prohibes	Prohibías	Prohibiste	Prohibirás	Prohibirías	Has prohibido
Él / Ella	Prohibe	Prohibía	Prohibió	Prohibirá	Prohibiría	Ha prohibido
Nosotros	Prohibimos	Prohibíamos	Prohibimos	Prohibiremos	Prohibiríamos	Hemos prohibido
Vosotros	Prohibís	Prohibíais	Prohibisteis	Prohibiréis	Prohibiríais	Habéis prohibido
Ellos	Prohiben	Prohibían	Prohibieron	Prohibirán	Prohibirían	Han prohibido

garnica
PROHIBIR

Nadar

Sujeto	Presente de ind.	Imperfecto de ind.	Pretérito	Futuro	Condicional Simple	Perfecto d ind.
Yo	Nado	Nadaba	Nadé	Nadaré	Nadaría	He nadado
Tú	Nadas	Nadabas	Nadaste	Nadarás	Nadarías	Has nadad
Él / Ella	Nada	Nadaba	Nadó	Nadará	Nadaría	Ha nadado
Nosotros	Nadamos	Nadábamos	Nadamos	Nadaremos	Nadaríamos	Hemos nadado
Vosotros	Nadáis	Nadabais	Nadasteis	Nadaréis	Nadaríais	Habéis nadado
Ellos	Nadan	Nadaban	Nadaron	Nadarán	Nadarían	Han nadad

Amar

Sujeto	Presente de ind.	Imperfecto de ind.	Pretérito	Futuro	Condicional Simple	Perfecto d ind.
Yo	Amo	Amaba	Amé	Amaré	Amaría	He amad
Tú	Amas	Amabas	Amaste	Amarás	Amarías	Has amad
Él / Ella	Ama	Amaba	Amó	Amará	Amaría	Ha amad
Nosotros	Amamos	Amábamos	Amamos	Amaremos	Amaríamos	Hemos amado
Vosotros	Amáis	Amabais	Amasteis	Amaréis	Amaríais	Habéis amado
Ellos	Aman	Amaban	Amaron	Amarán	Amarían	Han amad

Saltar

Sujeto	Presente de ind.	Imperfecto de ind.	Pretérito	Futuro	Condicional Simple	Perfecto de ind.
Yo	Salto	Saltaba	Salté	Saltaré	Saltaría	He saltado
Tú	Saltas	Saltabas	Saltaste	Saltarás	Saltarías	Has saltado
Él / Ella	Salta	Saltaba	Saltó	Saltará	Saltaría	Ha saltado
Nosotros	Saltamos	Saltábamos	Saltamos	Saltaremos	Saltaríamos	Hemos saltado
Vosotros	Saltáis	Saltabais	Saltasteis	Saltaréis	Saltaríais	Habéis saltado
Ellos	Saltan	Saltaban	Saltaron	Saltarán	Saltarían	Han saltado

SALTAR

Girar

Sujeto	Presente de ind.	Imperfecto de ind.	Pretérito	Futuro	Condicional Simple	Perfecto de ind.
Yo	Giro	Giraba	Giré	Giraré	Giraría	He girado
Tú	Giras	Girabas	Giraste	Girarás	Girarías	Has girado
Él / Ella	Gira	Giraba	Giró	Girará	Giraría	Ha girado
Nosotros	Giramos	Girábamos	Giramos	Giraremos	Giraríamos	Hemos girado
Vosotros	Giráis	Girabais	Girasteis	Giraréis	Giraríais	Habéis girado
Ellos	Giran	Giraban	Giraron	Girarán	Girarían	Han girado

Vigilar

Sujeto	Presente de ind.	Imperfecto de ind.	Pretérito	Futuro	Condicional Simple	Perfecto de ind.
Yo	Vigilo	Vigilaba	Vigilé	Vigilaré	Vigilaría	He vigilado
Tú	Vigilas	Vigilabas	Vigilaste	Vigilarás	Vigilarías	Has vigilado
Él / Ella	Vigila	Vigilaba	Vigiló	Vigilará	Vigilaría	Ha vigilado
Nosotros	Vigilamos	Vigilábamos	Vigilamos	Vigilaremos	Vigilaríamos	Hemos vigilado
Vosotros	Vigiláis	Vigilabais	Vigilasteis	Vigilaréis	Vigilaríais	Habéis vigilado
Ellos	Vigilan	Vigilaban	Vigilaron	Vigilarán	Vigilarían	Han vigilado

VIGILAR
VIGILAR
VIGILAR
VIGILAR

Volver

Sujeto	Presente de ind.	Imperfecto de ind.	Pretérito	Futuro	Condicional Simple	Perfecto de ind.
Yo	Vuelvo	Volvía	Volví	Volveré	Volvería	He vuelto
Tú	Vuelves	Volvías	Volviste	Volverás	Volverías	Has vuelto
Él / Ella	Vuelve	Volvía	Volvió	Volverá	Volvería	Ha vuelto
Nosotros	Volvemos	Volvíamos	Volvimos	Volveremos	Volveríamos	Hemos vuelto
Vosotros	Volvéis	Volvíais	Volvisteis	Volveréis	Volveríais	Habéis vuelto
Ellos	Vuelven	Volvían	Volvieron	Volverán	Volverían	Han vuelto

Andar

Sujeto	Presente de ind.	Imperfecto de ind.	Pretérito	Futuro	Condicional Simple	Perfecto de ind.
Yo	Ando	Andaba	Anduve	Andaré	Andaría	He andado
Tú	Andas	Andabas	Anduviste	Andarás	Andarías	Has andado
Él / Ella	Anda	Andaba	Anduvo	Andará	Andaría	Ha andado
Nosotros	Andamos	Andábamos	Anduvimos	Andaremos	Andaríamos	Hemos andado
Vosotros	Andáis	Andabais	Anduvisteis	Andaréis	Andaríais	Habéis andado
Ellos	Andan	Andaban	Anduvieron	Andarán	Andarían	Han andado

Pedir

Sujeto	Presente de ind.	Imperfecto de ind.	Pretérito	Futuro	Condicional Simple	Perfecto de ind.
Yo	Pido	Pedía	Pedí	Pediré	Pediría	He pedido
Tú	Pides	Pedías	Pediste	Pedirás	Pedirías	Has pedido
Él / Ella	Pide	Pedía	Pidió	Pedirá	Pediría	Ha pedido
Nosotros	Pedimos	Pedíamos	Pedimos	Pediremos	Pediríamos	Hemos pedido
Vosotros	Pedís	Pedíais	Pedisteis	Pediréis	Pediríais	Habéis pedido
Ellos	Piden	Pedían	Pidieron	Pedirán	Pedirían	Han pedido

GARNICA

Entrar

Sujeto	Presente de ind.	Imperfecto de ind.	Pretérito	Futuro	Condicional Simple	Perfecto de ind.
Yo	Entro	Entraba	Entré	Entraré	Entraría	He entrado
Tú	Entras	Entrabas	Entraste	Entrarás	Entrarías	Has entrado
Él / Ella	Entra	Entraba	Entró	Entrará	Entraría	Ha entrado
Nosotros	Entramos	Entrábamos	Entramos	Entraremos	Entraríamos	Hemos entrado
Vosotros	Entráis	Entrabais	Entrasteis	Entraréis	Entraríais	Habéis entrado
Ellos	Entran	Entraban	Entraron	Entrarán	Entrarían	Han entrado

Llamar

Sujeto	Presente de ind.	Imperfecto de ind.	Pretérito	Futuro	Condicional Simple	Perfecto de ind.
Yo	Llamo	Llamaba	Llamé	Llamaré	Llamaría	He llamado
Tú	Llamas	Llamabas	Llamaste	Llamarás	Llamarías	Has llamado
Él / Ella	Llama	Llamaba	Llamó	Llamará	Llamaría	Ha llamado
Nosotros	Llamamos	Llamábamos	Llamamos	Llamaremos	Llamaríamos	Hemos llamado
Vosotros	Llamáis	Llamabais	Llamasteis	Llamaréis	Llamaríais	Habéis llamado
Ellos	Llaman	Llamaban	Llamaron	Llamarán	Llamarían	Han llamado

Pst
Klank
Pling
Toc!

Venir

Sujeto	Presente de ind.	Imperfecto de ind.	Pretérito	Futuro	Condicional Simple	Perfecto de ind.
Yo	Vengo	Venía	Vine	Vendré	Vendría	He venido
Tú	Vienes	Venías	Viniste	Vendrás	Vendrías	Has venido
Él / Ella	Viene	Venía	Vino	Vendrá	Vendría	Ha venido
Nosotros	Venimos	Veníamos	Vinimos	Vendremos	Vendríamos	Hemos venido
Vosotros	Venís	Veníais	Vinisteis	Vendréis	Vendríais	Habéis venido
Ellos	Vienen	Venían	Vinieron	Vendrán	Vendrían	Han venido

Seguir

Sujeto	Presente de ind.	Imperfecto de ind.	Pretérito	Futuro	Condicional Simple	Perfecto de ind.
Yo	Sigo	Seguía	Seguí	Seguiré	Seguiría	He seguido
Tú	Sigues	Seguías	Seguiste	Seguirás	Seguirías	Has seguido
Él / Ella	Sigue	Seguía	Siguió	Seguirá	Seguiría	Ha seguido
Nosotros	Seguimos	Seguíamos	Seguimos	Seguiremos	Seguiríamos	Hemos seguido
Vosotros	Seguís	Seguíais	Seguisteis	Seguiréis	Seguiríais	Habéis seguido
Ellos	Siguen	Seguían	Siguieron	Seguirán	Seguirían	Han seguido

Arrestar

Sujeto	Presente de ind.	Imperfecto de ind.	Pretérito	Futuro	Condicional Simple	Perfecto de ind.
Yo	Arresto	Arrestaba	Arresté	Arrestaré	Arrestaría	He arrestado
Tú	Arrestas	Arrestabas	Arrestaste	Arrestarás	Arrestarías	Has arrestado
Él / Ella	Arresta	Arrestaba	Arrestó	Arrestará	Arrestaría	Ha arrestado
Nosotros	Arrestamos	Arrestábamos	Arrestamos	Arrestaremos	Arrestaríamos	Hemos arrestado
Vosotros	Arrestáis	Arrestabais	Arrestasteis	Arrestaréis	Arrestaríais	Habéis arrestado
Ellos	Arrestan	Arrestaban	Arrestaron	Arrestarán	Arrestarían	Han arrestado

ARRESTAR
garnica

Esperar

Sujeto	Presente de ind.	Imperfecto de ind.	Pretérito	Futuro	Condicional Simple	Perfecto de ind.
Yo	Espero	Esperaba	Esperé	Esperaré	Esperaría	He esperado
Tú	Esperas	Esperabas	Esperaste	Esperarás	Esperarías	Has esperado
Él / Ella	Espera	Esperaba	Esperó	Esperará	Esperaría	Ha esperado
Nosotros	Esperamos	Esperábamos	Esperamos	Esperaremos	Esperaríamos	Hemos esperado
Vosotros	Esperáis	Esperabais	Esperasteis	Esperaréis	Esperaríais	Habéis esperado
Ellos	Esperan	Esperaban	Esperaron	Esperarán	Esperarían	Han esperado

GaRnica

Saludar

Sujeto	Presente de ind.	Imperfecto de ind.	Pretérito	Futuro	Condicional Simple	Perfecto de ind.
Yo	Saludo	Saludaba	Saludé	Saludaré	Saludaría	He saludado
Tú	Saludas	Saludabas	Saludaste	Saludarás	Saludarías	Has saludado
Él / Ella	Saluda	Saludaba	Saludó	Saludará	Saludaría	Ha saludado
Nosotros	Saludamos	Saludábamos	Saludamos	Saludaremos	Saludaríamos	Hemos saludado
Vosotros	Saludáis	Saludabais	Saludasteis	Saludaréis	Saludaríais	Habéis saludado
Ellos	Saludan	Saludaban	Saludaron	Saludarán	Saludarían	Han saludadc

Garnica

Viajar

Sujeto	Presente de ind.	Imperfecto de ind.	Pretérito	Futuro	Condicional Simple	Perfecto de ind.
Yo	Viajo	Viajaba	Viajé	Viajaré	Viajaría	He viajado
Tú	Viajas	Viajabas	Viajaste	Viajarás	Viajarías	Has viajado
Él / Ella	Viaja	Viajaba	Viajó	Viajará	Viajaría	Ha viajado
Nosotros	Viajamos	Viajábamos	Viajamos	Viajaremos	Viajaríamos	Hemos viajado
Vosotros	Viajáis	Viajabais	Viajasteis	Viajaréis	Viajaríais	Habéis viajado
Ellos	Viajan	Viajaban	Viajaron	Viajarán	Viajarían	Han viajado

viajar

Chocar

Sujeto	Presente de ind.	Imperfecto de ind.	Pretérito	Futuro	Condicional Simple	Perfecto de ind.
Yo	Choco	Chocaba	Choqué	Chocaré	Chocaría	He chocado
Tú	Chocas	Chocabas	Chocaste	Chocarás	Chocarías	Has chocado
Él / Ella	Choca	Chocaba	Chocó	Chocará	Chocaría	Ha chocado
Nosotros	Chocamos	Chocábamos	Chocamos	Chocaremos	Chocaríamos	Hemos chocado
Vosotros	Chocáis	Chocabais	Chocasteis	Chocaréis	Chocaríais	Habéis chocado
Ellos	Chocan	Chocaban	Chocaron	Chocarán	Chocarían	Han chocado

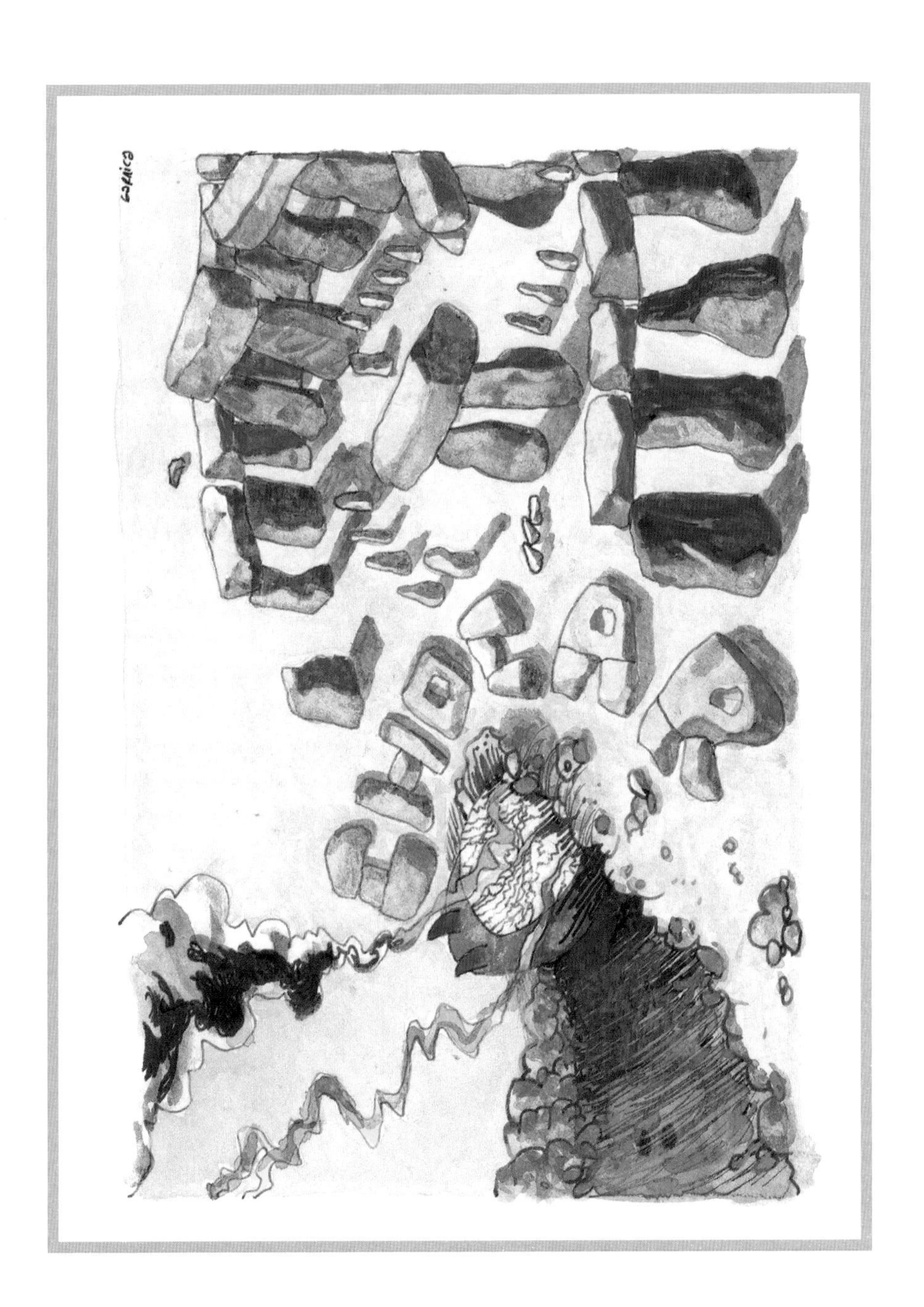

Reparar

Sujeto	Presente de ind.	Imperfecto de ind.	Pretérito	Futuro	Condicional Simple	Perfecto de ind.
Yo	Reparo	Reparaba	Reparé	Repararé	Repararía	He reparado
Tú	Reparas	Reparabas	Reparaste	Repararás	Repararías	Has reparado
Él / Ella	Repara	Reparaba	Reparó	Reparará	Repararía	Ha reparado
Nosotros	Reparamos	Reparábamos	Reparamos	Repararemos	Repararíamos	Hemos reparado
Vosotros	Reparáis	Reparabais	Reparasteis	Repararéis	Repararíais	Habéis reparado
Ellos	Reparan	Reparaban	Repararon	Repararán	Repararían	Han reparado

Callar

Sujeto	Presente de ind.	Imperfecto de ind.	Pretérito	Futuro	Condicional Simple	Perfecto de ind.
Yo	Callo	Callaba	Callé	Callaré	Callaría	He callado
Tú	Callas	Callabas	Callaste	Callarás	Callarías	Has callado
Él / Ella	Calla	Callaba	Calló	Callará	Callaría	Ha callado
Nosotros	Callamos	Callábamos	Callamos	Callaremos	Callaríamos	Hemos callado
Vosotros	Calláis	Callabais	Callasteis	Callaréis	Callaríais	Habéis callado
Ellos	Callan	Callaban	Callaron	Callarán	Callarían	Han callado

Encender

Sujeto	Presente de ind.	Imperfecto de ind.	Pretérito	Futuro	Condicional Simple	Perfecto de ind.
Yo	Enciendo	Encendía	Encendí	Encenderé	Encendería	He encendido
Tú	Enciendes	Encendías	Encendiste	Encenderás	Encenderías	Has encendido
Él / Ella	Enciende	Encendía	Encendió	Encenderá	Encendería	Ha encendido
Nosotros	Encendemos	Encendíamos	Encendimos	Encenderemos	Encenderíamos	Hemos encendido
Vosotros	Encendéis	Encendíais	Encendisteis	Encenderéis	Encenderíais	Habéis encendido
Ellos	Encienden	Encendían	Encendieron	Encenderán	Encenderían	Han encendido

Garnica

Llevar

Sujeto	Presente de ind.	Imperfecto de ind.	Pretérito	Futuro	Condicional Simple	Perfecto de ind.
Yo	Llevo	Llevaba	Llevé	Llevaré	Llevaría	He llevado
Tú	Llevas	Llevabas	Llevaste	Llevarás	Llevarías	Has llevado
Él / Ella	Lleva	Llevaba	Llevó	Llevará	Llevaría	Ha llevado
Nosotros	Llevamos	Llevábamos	Llevamos	Llevaremos	Llevaríamos	Hemos llevado
Vosotros	Lleváis	Llevabais	Llevasteis	Llevaréis	Llevaríais	Habéis llevado
Ellos	Llevan	Llevaban	Llevaron	Llevarán	Llevarían	Han llevado

LLEVAR

Cortar

Sujeto	Presente de ind.	Imperfecto de ind.	Pretérito	Futuro	Condicional Simple	Perfecto de ind.
Yo	Corto	Cortaba	Corté	Cortaré	Cortaría	He cortado
Tú	Cortas	Cortabas	Cortaste	Cortarás	Cortarías	Has cortado
Él / Ella	Corta	Cortaba	Cortó	Cortará	Cortaría	Ha cortado
Nosotros	Cortamos	Cortábamos	Cortamos	Cortaremos	Cortaríamos	Hemos cortado
Vosotros	Cortáis	Cortabais	Cortasteis	Cortaréis	Cortaríais	Habéis cortado
Ellos	Cortan	Cortaban	Cortaron	Cortarán	Cortarían	Han cortado

Garnica
cortar

Hacer

Sujeto	Presente de ind.	Imperfecto de ind.	Pretérito	Futuro	Condicional Simple	Perfecto de ind.
Yo	Hago	Hacía	Hice	Haré	Haría	He hecho
Tú	Haces	Hacías	Hiciste	Harás	Harías	Has hecho
Él / Ella	Hace	Hacía	Hizo	Hará	Haría	Ha hecho
Nosotros	Hacemos	Hacíamos	Hicimos	Haremos	Haríamos	Hemos hecho
Vosotros	Hacéis	Hacíais	Hicisteis	Haréis	Haríais	Habéis hecho
Ellos	Hacen	Hacían	Hicieron	Harán	Harían	Han hecho

HACER
Garnica

Grabar

Sujeto	Presente de ind.	Imperfecto de ind.	Pretérito	Futuro	Condicional Simple	Perfecto de ind.
Yo	Grabo	Grababa	Grabé	Grabaré	Grabaría	He grabado
Tú	Grabas	Grababas	Grabaste	Grabarás	Grabarías	Has grabado
Él / Ella	Graba	Grababa	Grabó	Grabará	Grabaría	Ha grabado
Nosotros	Grabamos	Grabábamos	Grabamos	Grabaremos	Grabaríamos	Hemos grabado
Vosotros	Grabáis	Grababais	Grabasteis	Grabaréis	Grabaríais	Habéis grabado
Ellos	Graban	Grababan	Grabaron	Grabarán	Grabarían	Han grabado

Comer

Sujeto	Presente de ind.	Imperfecto de ind.	Pretérito	Futuro	Condicional Simple	Perfecto de ind.
Yo	Como	Comía	Comí	Comeré	Comería	He comido
Tú	Comes	Comías	Comiste	Comerás	Comerías	Has comido
Él / Ella	Come	Comía	Comió	Comerá	Comería	Ha comido
Nosotros	Comemos	Comíamos	Comimos	Comeremos	Comeríamos	Hemos comido
Vosotros	Coméis	Comíais	Comisteis	Comeréis	Comeríais	Habéis comido
Ellos	Comen	Comían	Comieron	Comerán	Comerían	Han comido

Pasear

Sujeto	Presente de ind.	Imperfecto de ind.	Pretérito	Futuro	Condicional Simple	Perfecto de ind.
Yo	Paseo	Paseaba	Paseé	Pasearé	Pasearía	He paseado
Tú	Paseas	Paseabas	Paseaste	Pasearás	Pasearías	Has paseado
Él / Ella	Pasea	Paseaba	Paseó	Paseará	Pasearía	Ha paseado
Nosotros	Paseamos	Paseábamos	Paseamos	Pasearemos	Pasearíamos	Hemos paseado
Vosotros	Paseáis	Paseabais	Paseasteis	Pasearéis	Pasearíais	Habéis paseado
Ellos	Pasean	Paseaban	Pasearon	Pasearán	Pasearían	Han paseado

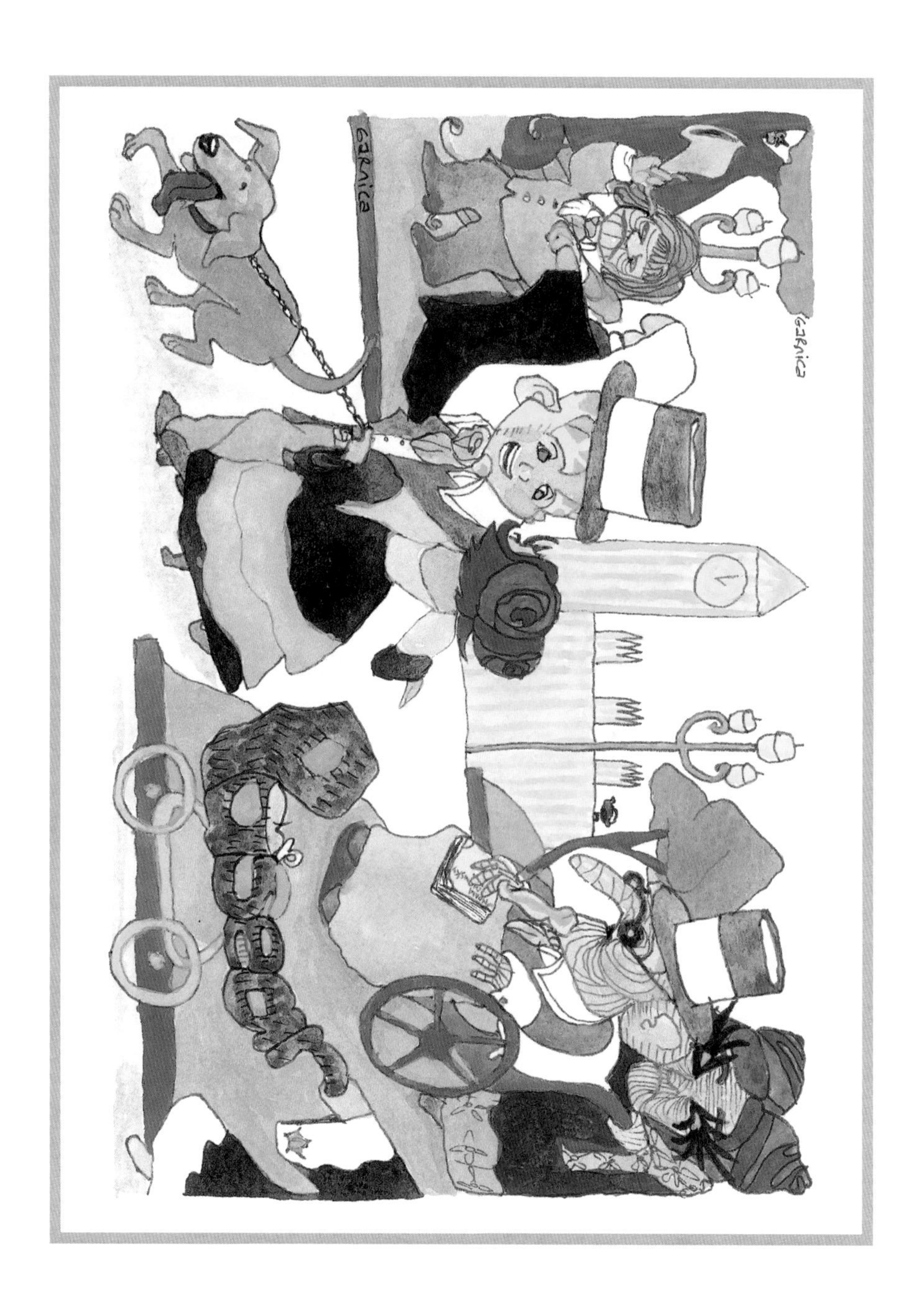
Garnica

Estar

Sujeto	Presente de ind.	Imperfecto de ind.	Pretérito	Futuro	Condicional Simple	Perfecto de ind.
Yo	Estoy	Estaba	Estuve	Estaré	Estaría	He estado
Tú	Estás	Estabas	Estuviste	Estarás	Estarías	Has estado
Él / Ella	Está	Estaba	Estuvo	Estará	Estaría	Ha estado
Nosotros	Estamos	Estábamos	Estuvimos	Estaremos	Estaríamos	Hemos estado
Vosotros	Estáis	Estabais	Estuvisteis	Estaréis	Estaríais	Habéis estado
Ellos	Están	Estaban	Estuvieron	Estarán	Estarían	Han estado

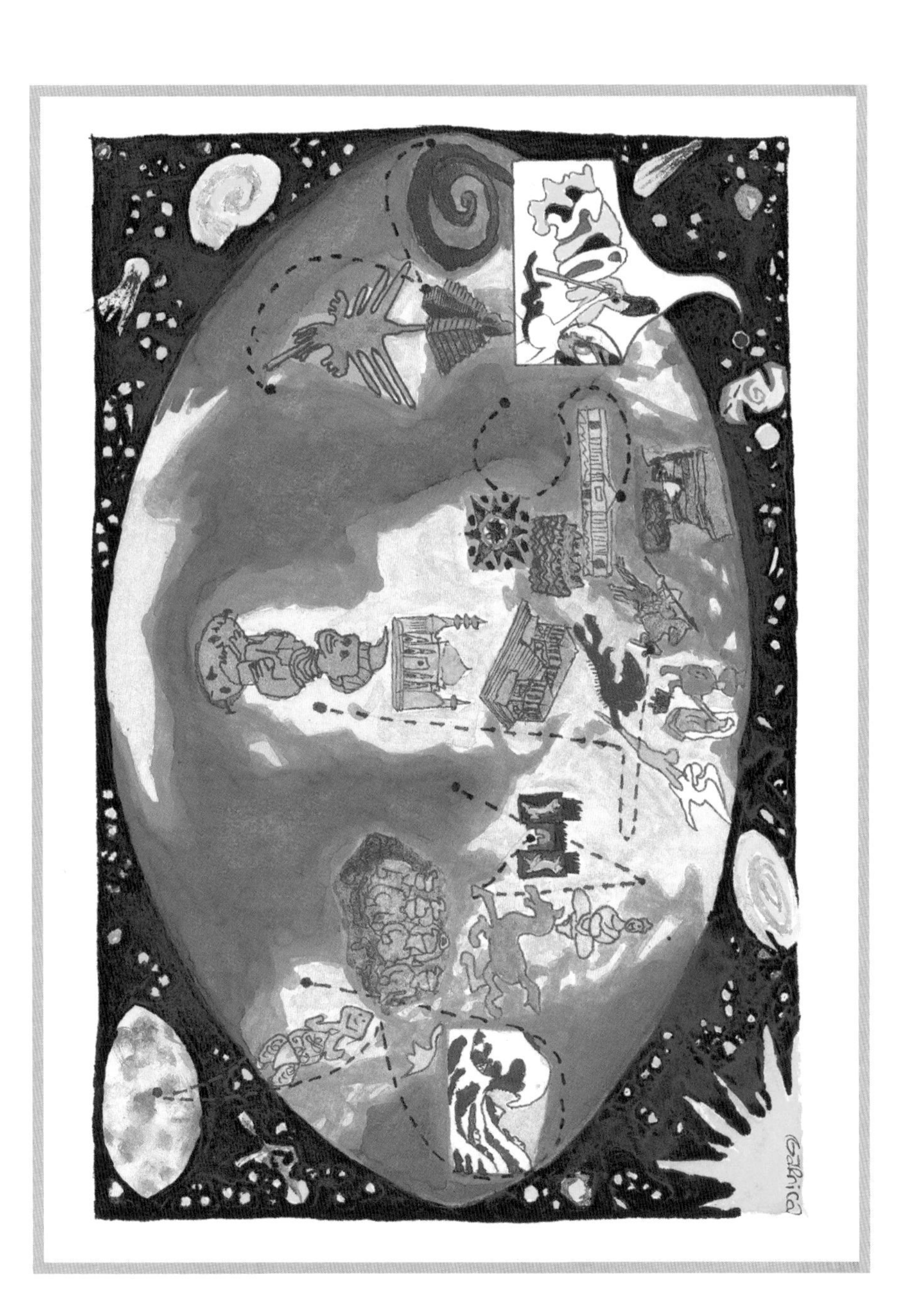

Parar

Sujeto	Presente de ind.	Imperfecto de ind.	Pretérito	Futuro	Condicional Simple	Perfecto de ind.
Yo	Paro	Paraba	Paré	Pararé	Pararía	He parado
Tú	Paras	Parabas	Paraste	Pararás	Pararías	Has parado
Él / Ella	Para	Paraba	Paró	Parará	Pararía	Ha parado
Nosotros	Paramos	Parábamos	Paramos	Pararemos	Pararíamos	Hemos parado
Vosotros	Paráis	Parabais	Parasteis	Pararéis	Pararíais	Habéis parado
Ellos	Paran	Paraban	Pararon	Pararán	Pararían	Han parado

PARAR

To be continued...

English Verb Index by alphabetical order

To arrest – Arrestar 184
To arrive – Llegar 76
To ask for Pedir 174
To be – Ser 104
To be – Estar 212
To be able to – Poder 20
To be quiet – Callar 196
To bring – Traer 36
To brush – Peinar 72
To build – Construir 134
To buy – Comprar 150
To call – Llamar 178
To carry – Llevar 200
To change – Cambiar 110
To clean – Limpiar 136
To close – Cerrar 88
To come – Venir 180
To cook – Cocinar 38
To count – Contar 130
To crash – Chocar 192
To create – Crear 22
To cut – Cortar 202
To dance – Bailar 26
To decide – Decidir 106
To direct – Dirigir 14
To do – Hacer 204
To dream – Soñar 116
To drink – Beber 44
To drive – Conducir 128
To eat – Comer 208
To enter – Entrar 176
To evaluate – Evaluar 126
To fall – Caer 64
To fight – Pelear 84
To find – Encontrar 32
To finish – Acabar 120
To follow – Seguir 182
To forbid – Prohibir 158
To forget – Olvidar 90
To get dressed – Vestirse 74
To get married – Casarse 156
To give – Dar 144
To go – Ir 154
To go down – Bajar 50
To go out – Salir 68
To grow – Crecer 34
To greet – Saludar 188
To have – Tener 16
To hear – Oír 82
To jump – Saltar 164
To kick – Patear 100
To kiss – Besar 148
To know – Saber 108
To lie – Mentir 124
To light – Encender 198
To learn – aprender 112
To look for – Buscar 66
To lose – Perder 58
To love – Amar 162
To open – Abrir 42
To organise – Ordenar 132
To paint – Pintar 24
To pay – Pagar 152
To play – Jugar 54
To please – Gustar 40
To polish – Pulir 138
To put – Poner 56
To quit – Dejar 30
To rain – Llover 94
To receive – Recibir 142
To record – Grabar 206
To remember – Recordar 92
To repair – Reparar 194
To return – Volver 170
To run – Correr 62
To see – Ver 78
To separate – Separar 86
To shout – Gritar 80
To show – Mostar 146
To shower – Ducharse 70
To sing – Cantar 46
To sit down – Sentarse 52
To sleep – Dormir 48
To smoke – Fumar 28
To speak – Hablar 96
To start – Empezar 118
To stop – Parar 214
To stroll – Pasear 210
To study – Estudiar 114
To swim – Nadar 160
To think – Pensar 102
To travel – Viajar 190
To trip – Tropezar 98
To turn – Girar 166
To wait – Esperar 186
To wake up – Despertar 60
To walk – Andar 172
To want – Querer 18
To watch over – Vigilar 168
To win – Ganar 122
To write – Escribir 140

Verb Index

Regular Irregular Reflexive

Verbos Regulares / Regular Verbs

	-ar	-er	-ir
Infinitivo	Hablar	Aprender	Vivir
Presente	*Habl*o *Habl*as *Habl*a *Habl*amos *Habl*áis *Habl*an	Aprendo Aprendes Aprende Aprend*emos* Aprend*éis* Aprenden	Vivo Vives Vive Viv*imos* Viv*ís* Viven
Imperfecto de ind.	*Habl*aba *Habl*abas *Habl*aba *Habl*ábamos *Habl*abais *Habl*aban	Aprendía Aprendías Aprendía Aprendíamos Aprendíais Aprendían	Vivía Vivías Vivía Vivíamos Vivíais Vivían
Pretérito	*Habl*é *Habl*aste *Habl*ó *Habl*amos *Habl*asteis *Habl*aron	Aprendí Aprendiste Aprendió Aprendimos Aprendisteis Aprendieron	Viví Viviste Vivió Vivimos Vivisteis Vivieron
Futuro	Hablaré Hablarás Hablará Hablaremos Hablaréis Hablarán	Aprenderé Aprenderás Aprenderá Aprenderemos Aprenderéis Aprenderán	Viviré Vivirás Vivirá Viviremos Viviréis Vivirán
Condicional Simple	Hablaría Hablarías Hablaría Hablaríamos Hablaríais Hablarían	Aprendería Aprenderías Aprendería Aprenderíamos Aprenderíais Aprenderían	Viviría Vivirías Viviría Viviríamos Viviríais Vivirían
Perfecto de ind.	*He* hablado *Has* hablado *Ha* hablado *Hemos* hablado *Habéis* hablado *Han* hablado	*He* aprendido *Has* aprendido *Ha* aprendido *Hemos* aprendido *Habéis* aprendido *Han* aprendido	*He* vivido *Has* vivido *Ha* vivido *Hemos* vivido *Habéis* vivido *Han* vivido

Also by Rory Ryder

LEARN 101 ENGLISH VERBS IN 1 DAY

LEARN 101 FRENCH VERBS IN 1 DAY

LEARN 101 GERMAN VERBS IN 1 DAY

LEARN 101 ITALIAN VERBS IN 1 DAY

LEARN 101 CATALAN VERBS IN 1 DAY

LEARN 101 PORTUGUESE VERBS IN 1 DAY

(Coming soon)

LEARN 101 RUSSIAN VERBS IN 1 DAY

LEARN 101 GREEK VERBS IN 1 DAY

LEARN 101 CHINESE VERBS IN 1 DAY

LEARN 101 ARABIC VERBS IN 1 DAY

About the author

Rory Ryder created the idea and concept ´LEARN 101 VERBS IN 1 DAY´ after finding most verb books time-consuming and outdated. Most of the people he spoke to, found it very frustrating trying to remember the verbs and conjugations simply by repetition. He decided to develop a book that makes it very easy to remember the key verbs and conjugations but is also fun and very easy to use. Inspired by Barcelona, where he now lives, he spends the majority of his time working on new and innovative ideas.

Our junior pack is aimed at ages 6 to 12 and opens up 3 different languages in the perfect way for classroom fun or preparations towards Secondary School. Your pupils can learn verbs and sentence structure with a 40 page journal full of memory games and activities. No teacher or parent needs prior language knowledge to give their pupils the opportunity to learn French, Spanish and English. This pack includes: Certificate, Posters, Door Hanger, Stickers, Book Mark, Do It Yourself Jigsaw and a 40 page Journal with over 30 Verb pictures, all in a beautifully illustrated folder. With teacher, parent and pupil support info and 101 different games available from the website. Teachers also get the free Teacher's Pack. What are you waiting for?

Pack includes:

- certificate,
- posters,
- door hanger,
- stickers,
- bookmark,
- do-it-yourself jigsaw
- forty-page journal with over 30 verb pictures

learn101verbsin1day.com

A N E W W A V E O F I D E A S

Ordering our books could not be easier!!

For individuals this book should be available from all good book stores

Or from the internet by visiting www.amazon.co.uk

Schools, learning institutions, educational organisations and non-profit organisations may qualify for discount on bulk purchases. Contact our
INTERNATIONAL OFFICE
(+34) 93 280 3907
UK OFFICE
(+44) 1926 741 741
FOR BULK ORDERS CONTACT:
orders@learn101verbsin1day.com

To see more fun ways of using this book and for all other enquiries or comments just visit our website at
www.learn101verbsin1day.com

Acknowledgments

I would like to thank Julian Wilkins, Sean Green, Bev Green, Edward Miller, Chris Willis, Alice Bryer, John Dawes, Moss Foley, Jonathan Knowles, Simone Ryder, Educational Ditribution Services (Kent), Dom Mas, The Society of Authors and all those who contributed to making this book a success.

Special thanks to Francisco Garnica for his talent and enthusiasm.